Charif Majdalani est né au Liban en 1960. Il enseigne les lettres françaises à l'université Saint-Joseph de Beyrouth. Il est l'auteur, notamment, d'*Histoire de la Grande Maison* (2005), *Caravansérail* (2007) et *Le Dernier Seigneur de Marsad* (2013).

DU MÊME AUTEUR

Petit traité des mélanges
Éditions Layali, Beyrouth, 2002

Histoire de la Grande Maison
Seuil, 2005
et « Points », n° P1534

Caravansérail
prix Tropiques
prix François-Mauriac de l'Académie française
Seuil, 2007
et « Points », n° P2761

Nos si brèves années de gloire
Seuil, 2012

Le Dernier Seigneur de Marsad
Seuil, 2013
et « Points », n° P3344

Charif Majdalani

VILLA DES FEMMES

ROMAN

Éditions du Seuil

En exergue : William Faulkner, *Absalon, Absalon !*,
traduit par René-Noël Raimbault © Éditions Gallimard

TEXTE INTÉGRAL

ISBN 978-2-7578-6189-9
(ISBN 978-2-02-128017-3, 1re publication)

Il arriva par l'allée sur son cheval et entra de nouveau dans notre vie.

William Faulkner,
Absalon, Absalon !

1

Je me suis tenu là tout le temps nécessaire, gardien de la grandeur des Hayek, témoin involontaire de leurs déchirements et de leur ruine, assis en haut du perron de la villa, dans le carré de soleil, en face de l'allée qui menait au portail. Aussi loin que je remonte, je vois ce portail ouvert, c'est par là que sont arrivées les belles choses et aussi les calamités, c'est par là qu'entra le funeste émigré des années trente, par là que partit le fils cadet et par là aussi qu'il réapparut un jour. C'est par ce portail que pendant des années j'ai vu passer sur la route les belles automobiles et les autocars bariolés, les marchands de quatre-saisons, les quincailliers ambulants et les vendeurs de tissu qui portaient les rouleaux de taffetas et de coton comme des toges sur leurs épaules. À chacune de leurs apparitions, les bonnes jaillissaient derrière moi de la maison et couraient en riant vers la rue, s'attroupant autour des colporteurs qui, tels des princes entourés d'une cour improvisée ou des magiciens emmenés par des enfants enthousiastes, pénétraient ensuite sans se gêner dans la propriété. Ils étalaient à mes pieds les étoffes bon marché et les acryliques colorés, leurs trouvailles des halles aux fruits et leurs batteries de passoires à spaghettis ou de cruches en plastique, et c'était alors devant la villa un véritable souk qui s'improvisait. Mais Jamilé apparaissait bientôt sur le pas de la porte. Non sans avoir jeté un coup d'œil intéressé à tout ce qui se trouvait sous ses yeux, déballages de draps et assortiments de verres et de tasses, elle prenait une attitude indignée, s'essuyait les mains à son tablier et rappelait son monde à l'ordre avec humeur en s'en prenant aux marchands en savates qu'elle chassait de sa voix puissante. Devant sa colère attendue, les bonnes se redressaient et battaient en retraite tandis que les marchands remballaient à la va-vite et que Jamilé me lançait un regard fulminant, me reprochant de laisser ainsi le tout-venant pénétrer dans la propriété. Elle était intraitable, sauf à l'égard du marchand de poisson, qu'elle ne pouvait empêcher d'entrer, avec son vélo, ses bottes en caoutchouc et son air d'empereur romain, les yeux d'un bleu semblable à celui de la mer où il allait pêcher et où il prétendait qu'un vieux cuirassé était planté droit au fond de l'eau, dans la vase, sa poupe et ses énormes hélices pointant vers la surface. Tous les vendredis, il venait proposer des loups, des bars ou des poissons à tête de chat à Skandar Hayek, mon patron, le maître du domaine. Quand elle le voyait approcher, Jamilé marmonnait qu'il allait encore falloir nettoyer au pétrole le sol où il s'installerait pour écailler et vider ses poissons. Il le faisait pourtant sur de vieux journaux, et une fois, sur l'un d'entre eux au-dessus duquel je me penchai discrètement, parce que le poissonnier travaillait à mes pieds, je lus en gros titre que l'Allemagne s'était entendue avec la France et l'Angleterre sur la Tchécoslovaquie à Munich. « Tu les trouves où tes journaux ? lui demandai-je en éclatant de rire. À la Bibliothèque nationale ou chez un antiquaire ? » Et lui, avec ses yeux bleus où passaient des cuirassés fantômes, les doigts gantés enfoncés dans le ventre d'un loup pour en sortir tout ce qu'il y avait, eut un air sombre, regarda les caractères sur le papier, et je compris qu'il ne savait pas lire. Cela dit, ses journaux ne servaient à rien, les boyaux des poissons finissaient à même le sol, sur les arabesques du carrelage que Jamilé devait faire nettoyer avant de se mettre à quatre pattes pour renifler et s'assurer que cela ne puait plus. Mais elle avait beau rouspéter, elle n'y pouvait rien, le patron aimait le poisson et il appréciait ce poissonnier-là, il avait confiance dans ses yeux bleus, dans sa tête d'empereur romain et dans ses histoires de cuirassé dressé comme un i au fond de la mer. Lorsqu'il lui avait passé une commande, la semaine suivante il l'attendait, descendait lui-même devant le perron pour vérifier la qualité des rougets ou des soles, et un jour en plaisantant il voulut savoir comment il ferait avec son vélo s'il lui demandait un espadon ou un requin. Le poissonnier disparut trois semaines puis revint un matin dans une très vieille Simca sur le toit de laquelle il avait attaché sa barque de pêcheur, dissimulée sous une grosse bâche. Il se gara, mit pied à terre, et on envoya le fils du jardinier quérir le patron à l'usine, à l'autre bout de la propriété. Lorsque Skandar arriva, s'exclamant avec beaucoup d'affabilité : « Alors, *ya* abou Ramez, tu as acheté une voiture ? », le travailleur de la mer indiqua le toit de la Simca et la barque qu'il débâcha brusquement, comme un magicien, et on s'aperçut que, en fait de barque, ce qu'il transportait était un gros requin au regard tombant, aux yeux exorbités, au rictus monstrueux. Les bonnes et les femmes de la maison se mirent à hurler d'horreur et de surprise tandis que Abou Ramez déclarait : « Vos souhaits sont des ordres, Skandar beyk. » Revenu de sa surprise, ce dernier déclara en riant qu'on allait se régaler. Tout le monde cria au scandale à cette idée, mais Skandar insista. Le poissonnier et son fils, aidés d'un ouvrier de l'usine qui avait été pêcheur, débitèrent la bête sous les yeux de Marie, ma patronne, debout, horrifiée, en haut du perron, et sous le regard de l'infernale Mado, dont on distinguait la silhouette derrière sa fenêtre à l'étage. Tout le peuple des bonnes, des jardiniers, des ouvriers accourut pour assister au dépeçage du requin, dont le sang, les tripes, les crocs et le mufle terrifiant furent négligemment jetés au milieu des plates-bandes de géraniums et de gardénias. Jamilé, en maugréant, dut ensuite faire de la place dans ses congélateurs. On avait l'impression que c'étaient les restes des femmes de Barbe-Bleue qu'elle était sommée de cacher, et moi, pour me mettre en valeur, je prétendis que je savais cuisiner ça. Ce qui n'était pas vrai. Mais j'avais entendu un jour mon père rapporter une recette d'espadon qu'un docker palestinien lui avait décrite, et que lui-même tenait d'un marin marseillais. Je la reproduisis approximativement, utilisant sans vergogne les fourneaux de Jamilé. C'était une recette à l'alcool, un alcool d'anis, de réglisse et de fenouil qu'ils appellent pastis là-bas, à Marseille, et que je remplaçai par de l'arak, qui est un cousin du pastis mais sans fenouil ni réglisse. Quand ce fut prêt, Skandar réclama que ses enfants, sa femme, sa sœur Mado en goûtent, il en envoya même aux contremaîtres de l'usine. Tout le monde considéra le steak de poisson mariné à l'arak comme s'il s'agissait d'un monstre marin menaçant de bondir hors des assiettes. Skandar le premier se mit à manger, tout le monde l'imita, et c'est depuis que l'on me surnomme Requin-à-l'arak, ce qui avec le temps persuada tout un chacun que dans ma jeunesse j'étais puissant, redoutable et silencieux comme un requin, ce qui est possible, et que j'étais porté sur l'alcool, ce qui en revanche est absolument faux.

2

Je me revois assis là durant toutes ces années, je revois danser les ombres et la lumière sur les arabesques du perron où j'attendais le patron. Je savais ses heures et son programme, j'aimais la propriété, l'usine, les jardins et même cette insupportable Jamilé qui jamais ne voulut de moi autrement que comme collègue mais dont le corps de louve, les cheveux de jais et les seins durs et fermes me faisaient rêver. J'aimais le domaine malgré Skandar beyk et ses lubies, malgré sa sœur Mado et son pénible caractère. Cette maison et ses alentours étaient mon univers, j'y avais vécu mon enfance, j'y venais quand mon père était le chauffeur du vieux Noula, le père de Skandar, au temps des Delage et des Bugatti. Je jouais dans les vergers, on m'envoyait parfois faire une course à l'usine, dans l'air saturé d'odeur de linge bouilli, au milieu des encolleuses et des décatisseuses qui firent la réputation du textile des Hayek. En revanche, je n'avais pas le droit d'entrer dans la villa, cette villa dont je suis plus tard devenu le gardien, lorsque à la mort de mon père j'ai pris sa place comme chauffeur de Skandar, surveillant toute la journée l'allée et le portail ouvert, espérant que Jamilé me rejoindrait ou qu'apparaîtrait la belle Karine, la fille des patrons, sur son cheval. J'entendais le pas d'une monture et je la voyais arriver, entre mes paupières mi-closes. Elle était pieds nus, la chemise à moitié ouverte sur sa poitrine, et chevauchait à cru. Cela a longtemps alimenté mes fantasmes et j'eus même des envies de meurtre à l'égard des petits Palestiniens du camp voisin qui venaient livrer les commandes passées chez l'épicier ou le boucher, et dont l'un, sortant un matin par les cuisines et faisant le tour de la maison, se retrouva face à Karine sur son cheval. Elle lui fit un petit signe, puis, le voyant stupéfait, lui proposa de monter derrière elle, ce qu'il accepta évidemment, et elle le mena ainsi jusqu'au portail. On peut imaginer ce qu'il raconta ensuite à ses copains, qu'il l'avait tenue par les hanches, qu'il l'avait renversée dans un fourré, qu'elle l'avait laissé lui ouvrir sa chemise et avait écarté les jambes pour le recevoir. J'eus fréquemment envie d'en parler à son père quand je le conduisais à bord de l'une de ses grandes américaines et que nous étions seuls, lui et moi, d'attirer son attention sur l'indécence de sa fille. Mais je ne lui dis jamais rien, parce que je savais qu'il me répondrait avec mauvaise humeur : « En quoi ça te regarde, *ya* Noula ? » (mon père avait eu l'idée saugrenue de m'appeler Noula, comme son propre patron, le père du mien) ou « Qui t'a demandé de faire le chaperon, Requin-à-l'arak ? ». Alors je ne disais rien, je savais qu'il avait une prédilection pour Karine, il ne supportait pas que l'on parle d'elle, que l'on fasse une remarque à son propos. Il l'emmenait souvent avec lui en ville quand elle était adolescente. Je les laissais dans les marchés où il achetait ses cigares, ses cravates, parfois des tapis ou des antiquités. Elle l'accompagnait volontiers et, comme pour l'en remercier, il lui passait ses caprices. Elle revenait avec des robes, des sacs et des chapeaux, si bien que Marie disait à son époux : « Tu es en train de la gâter, elle va devenir insupportable en grandissant. » Mais il haussait les épaules. Ces deux-là, mes patrons, communiquaient peu, ils se parlaient même le moins possible, et cela a duré quarante ans. Le matin, ils prenaient leur petit déjeuner ensemble puis s'installaient dans le salon afin de recevoir les contremaîtres et le personnel. Marie écoutait les ordres que son époux donnait et s'assurait ensuite qu'ils étaient respectés. Ils échangeaient quelques considérations sur des achats, des travaux à faire, mais sans émotion ni affect, et Skandar modifiait parfois ses ordres en fonction des remarques de sa femme, mais sans un signe de connivence avec elle, simplement en s'adressant à nouveau aux contremaîtres, ou au jardinier, ou à moi. Ils vécurent de cette façon, gérant leur vie de famille comme si c'était une affaire qu'il fallait mener à bien, lui-même confiant dans la gestion de ses directives par sa femme et cette dernière entièrement libre de son temps et de l'éducation de ses enfants, sortant, allant en visite chez ses amies, ou à la plage, des occupations dont elle lui faisait un compte rendu le soir, quand il rentrait, qu'il écoutait distraitement, posant des questions de convenance, avant que tous deux ne ressortent, car leur vie en société, très intense, était elle aussi scrupuleusement réglée. Il lui annonçait à l'avance qu'ils étaient tel soir conviés à dîner mais la laissait décider des invitations à rendre en déclarant laconiquement : « Fais ce qui convient. » Dès le moment où je suis arrivé à leur service, je les ai trouvés comme cela, c'était dans la nature des choses, et mon père affirme qu'il en fut ainsi dès le début, dès leur mariage, parce que Marie ne voulait pas de Skandar, elle aimait un autre homme, qu'on l'empêcha d'épouser. On la fit venir à ses noces presque de force, après qu'on l'eut arrêtée sur le port d'où elle s'apprêtait à partir rejoindre son amant en Égypte. Skandar, de son côté, n'avait rien contre ce mariage, d'autant que Marie était belle, les cheveux châtains, le regard ironique et rêveur, distraite, toujours d'une élégance inouïe, dans des robes de couleur et parée de bijoux qui valaient cent fois mon salaire annuel, mais sur lesquels Skandar ne lui faisait pas un seul compliment, sauf peut-être dans leur intimité, quand ils étaient seuls, ou au lit, je n'en sais rien, car ils eurent quand même trois enfants malgré cet état de leurs relations, trois enfants que j'ai vus naître et grandir et qui furent comme les miens, dont j'ai connu les secrets et couvert parfois les bêtises : Noula, l'aîné, qui avait le même prénom que moi et qui était porté sur les distractions et les filles, Hareth, le deuxième, qui restait à lire dans le jardin ou à jouer à des jeux de guerre et de conquête avec ses camarades, enfermé dans sa chambre, pendant des heures, et enfin Karine, qui tous les matins passait sur son cheval devant le perron où j'étais assis en feignant de ne pas me voir parce qu'elle savait parfaitement que je blâmais sa manière de se comporter.

Tel était leur train de vie, et j'ignore si Marie finit par aimer Skandar. En tout cas, elle avait mis ses marques partout chez les Hayek, où elle était désormais chez elle. Elle changeait le décor, achetait des tableaux, décidait qu'un mur était de trop et on l'abattait, qu'il fallait ajouter une salle de bains et on s'exécutait, elle donnait des ordres aux maçons, aux architectes, et son mari laissait faire à condition que l'on ne touchât pas au cœur du patrimoine, les arbres du jardin ou certains tapis. Mais il n'est pas très étonnant qu'elle se soit si facilement acclimatée, vu que chez les Hayek comme chez les Ghosn, sa propre famille, c'étaient les mêmes orangeraies, les mêmes villas, la même ambiance d'usine et de négoce, les mêmes dîners et les mêmes déjeuners à longueur d'année, les mêmes femmes guindées, les mêmes chefs de clan durs et distants. C'est peut-être à tout cela qu'elle avait voulu échapper dans sa jeunesse en tombant amoureuse de ce garçon qu'on l'empêcha d'épouser. Elle fut ramenée de force, mariée et installée ici, à la place qui lui avait été assignée dès l'origine, ce qui lui donna toujours cet air un peu lointain, comme si elle n'était jamais vraiment revenue, qu'elle fût restée un peu là où elle avait rêvé d'aller. Et ce qui sans doute aggravait encore les choses pour elle, c'était la présence ici, chez les Hayek, d'une autre femme, sa belle-sœur, la sœur de Skandar, Madeleine, que nous autres, les domestiques et les chauffeurs, nous appelions *sitt Madléne*, et eux, les patrons, Mado – l'insupportable habitante de l'étage de la villa et qui dès le premier instant et pendant quarante ans fut contre Marie dans une perpétuelle guerre froide.

À l'inverse de Marie, Madeleine n'était pas très jolie, elle était maigre et s'habillait volontairement de robes noires, très coûteuses je suppose, qu'elle faisait confectionner chez les meilleurs couturiers de la ville. Elle devait en avoir une trentaine absolument semblables les unes aux autres, comme si elle portait éternellement le deuil d'on ne savait quoi, de sa vie passée peut-être, ou des choses anciennes et disparues, du souvenir desquelles elle se prétendait la gardienne et à la place de quoi s'était instauré un monde qu'elle désapprouvait, dans lequel elle était une survivante obstinée, une plante desséchée mais tenace, attachée au domaine comme une souche à son terreau, soucieuse jusqu'à la manie du patrimoine immobilier, des grands eucalyptus ou des pins dont elle gérait la récolte de pignons, la distribuant ensuite aux membres de la clientèle des Hayek. Elle estimait être l'unique dépositaire de la mémoire du clan, de son histoire, qu'elle connaissait sur le bout des doigts, ce qui explique qu'elle était extrêmement snob, soucieuse de bien distinguer les diverses branches de la famille de celle dont elle était issue et qui était à ses yeux ce que les Bourbon-Parme sont à un petit nom de hobereau de province. Lorsqu'elle sortait (et elle sortait beaucoup, fuyant la solitude de son appartement ou l'impossibilité de rendre visite à sa belle-sœur), ce n'était que pour aller chez des parentes de la haute société, de préférence lorsque celles-ci étaient souffrantes ou en période de deuil, des circonstances dans lesquelles ses noires tenues et son air sec et monastique ne détonnaient pas. Elle allait passer des heures aux côtés de vieilles tantes sur le point de trépasser, ou de cousines qui avaient perdu leur mari, et, avec elles, se plaisait à ressasser les vieilles généalogies, à parler du ban et de l'arrière-ban de la grande tribu des Hayek. Une fois par semaine, je l'emmenais aussi à Msaytbé ou Marsad, chez des cousines pauvres à qui elle portait des plats cuisinés, aubergines farcies ou ragoûts à la viande de mouton qu'elle préparait elle-même dès l'aube, recouvrait ensuite d'un grand napperon et tenait sur ses genoux tout le long du trajet. Et quand elle n'avait pas ses rendez-vous je la conduisais au cimetière de Ayn Chir, dont elle se voulait aussi la gardienne, ainsi que du caveau familial qu'elle entretenait avec l'air de celle qui est la seule à s'acquitter du devoir de mémoire envers les morts, allant et venant de son allure disgracieuse, rachitique et un peu courbée, arrosant les plantes devant le caveau, déplaçant les vases et astiquant le marbre, et luttant avec un acharnement et une obstination forcenés contre une part de la famille dont elle considérait qu'elle n'était pas de la même branche mais qui enterrait ses morts sous le même monument gothique qu'avait fait construire son propre aïeul. Dans la voiture, elle se mettait en colère et marmonnait dans mon dos contre son frère qui laissait faire, qui donnait son accord pour que fussent inhumés là une vieille femme ou un vieillard trépassés simplement parce qu'ils s'appelaient Hayek. « On n'est plus entre nous, ni sur nos terres ni en dessous », grommelait-elle, jusqu'au jour où elle faillit provoquer une guerre de clans. Skandar avait accepté que l'on enterrât une vieille dame dans la concession de la famille et Mado se plaignit que la défunte était une Hayek mais des Hayek de Sinn el-Fil et non de Ayn Chir. À l'issue des funérailles, elle découvrit que la famille de la morte avait fait discrètement apposer une petite plaque commémorative au pied du monument où trônait le nom des Hayek de la lignée de Skandar l'ancêtre. Elle m'appela et, quand j'arrivai dans l'allée fleurie de lauriers, m'intima l'ordre d'arracher la plaque, ce que je fis malgré mes réticences et sous le regard réprobateur mais impuissant du gardien. Mado jeta le carré de marbre sous un buisson de rosiers, derrière le caveau. Trois jours après, quand nous revînmes, la plaque était de nouveau là, ornée de fleurs dans un grand vase. Je reçus l'ordre de l'arracher encore une fois, mais elle se retrouva vite à sa place, si bien que Mado décida de l'emporter. Je dus le lendemain rendre des comptes à Skandar sur sa présence dans la voiture. L'affaire était d'autant plus grave que cette subtilisation fut la cause d'une grave crise avec l'évêché, que mon patron dut gérer avec diplomatie, après quoi il monta dire ses quatre vérités à sa sœur dans ses appartements, des appartements dans lesquels elle avait conservé les meubles des salons de l'ancienne demeure des Hayek comme autant d'ex-voto, et au milieu desquels elle vivait seule, participant aux déjeuners dominicaux des Hayek mais jamais aux dîners ou aux soirées qu'organisaient son frère et Marie.

Ces soirées, elle les considérait d'un œil torve, avec ce sentiment d'être envahie par des hordes d'inconnus. Elle observait à travers les rideaux les convives qui arrivaient ou repartaient, je devinais sa silhouette noire, inquiétant maître de quart veillant sur son navire. Elle passait ensuite le début de la nuit à faire des patiences, l'air distrait, songeant peut-être en alignant les cartes à son passé, à ses amours contrariées, à sa maladie de cœur, pendant qu'à l'étage en dessous la fête battait son plein, que le brouhaha lui parvenait comme une rumeur sourde émaillée d'éclats de rire. Elle n'acceptait de descendre que s'il s'agissait d'un dîner en l'honneur de quelque membre du clan, notable, homme politique ou négociant autour de qui on avait réuni des parents et des alliés. Estimant alors que c'était à elle que revenait, sur ses terres et dans la maison de ses pères, de faire honneur aux hôtes, elle revêtait une de ses éternelles robes noires, mais imperceptiblement plus habillée que les autres, qu'elle agrémentait d'un collier de rubis ou d'une bague de diamant rappelant son rang, qui relevaient un peu son air revêche, et tout le long de la soirée elle n'avait de cesse de corriger ce qu'elle tenait pour des fautes ou des manquements de sa belle-sœur. Elle n'arrêtait pas, à coups de sourcils levés ou de petits gestes de la main, d'appeler les bonnes, à qui elle donnait avec humeur d'inutiles consignes pour changer la place d'un cendrier, apporter un ravier de carottes, comme si sans elle ce dîner n'aurait été qu'un naufrage. Puis elle devançait le monde dans la salle à manger pour s'assurer du bon placement des convives, modifiait la présentation des plats, maugréait sur le choix du menu et réprimandait Jamilé, comme elle interpellait avant elle sa tante Wardé. Mais que ce fût l'une ou l'autre, les deux cuisinières fameuses ne lui obéissaient qu'en marmonnant, ce qui mettait Mado en colère. Pendant tout ce temps Marie demeurait impassible, avant que Skandar lui-même ne finisse par prendre sa sœur à part pour lui faire vertement la leçon. Mado alors boudait durant le reste de la soirée, ou au contraire elle entrait dans d'inexplicables phases d'euphorie, riant, plaisantant, évoquant d'anciennes anecdotes sur les Hayek et la région, dans une volonté évidente de mobiliser l'attention et d'exclure sinon son propre frère, du moins sa belle-sœur, qui de maîtresse de céans redevenait l'étrangère qu'elle n'avait jamais cessé d'être aux yeux de Mado. Quand bien même, évidemment, cette étrangère était la mère des uniques héritiers des Hayek. D'ailleurs, les neveux de Mado étaient les seuls à trouver grâce à ses yeux. Elle les attirait par des cajoleries, des friandises et des cadeaux, elle considérait qu'ils étaient un bien des Hayek, et donc d'elle-même, une malencontreuse nécessité physiologique les ayant placés pour leur gestation dans le ventre d'une étrangère à qui une fois venus au monde ils n'appartenaient plus exclusivement. Elle estimait de ce fait avoir un droit de regard sur leur éducation, ce à quoi Marie résistait avec une froide indifférence, laissant ses enfants monter régulièrement voir leur tante, les laissant accepter ses cadeaux mais limitant les contacts à certaines heures de la journée, envoyant un membre du personnel les chercher quand elle trouvait que ces visites avaient assez duré, ce que

Mado acceptait sans rien dire, ravalant sa colère parce qu'elle était trop fière pour faire des scènes, ou pour rapporter la chose à son frère, se contentant de glisser des confidences empoisonnées aux enfants, de faire naître chez eux un sentiment de culpabilité à son égard à travers d'incessantes jérémiades : « vous oubliez votre pauvre tante », « vous ne venez pas me voir, un jour je disparaîtrai et vous ne vous rappellerez même pas de moi », « je ne sais pas qui vous monte contre moi, on pense vous protéger, mais je ne suis pas un ogre, tout de même… ».

3

Elle n'était pourtant pas si mal quand elle était plus jeune, comme je pouvais le constater sur certaines photos qu'elle conservait dans des cadres en argent, sur des crédences, dans ses appartements. Mais elle tomba malade, selon ce que je sais, elle eut une angine de poitrine, ou quelque chose qui toucha son cœur. On disait alors que la cause de cette maladie, c'était un chagrin d'amour. En ce temps-là, cela paraissait logique, une affaire de cœur entraînait un problème au cœur. D'après ce que m'a raconté mon père, Mado était promise à un riche planteur libanais installé au Mexique, dont on avait parlé à ses parents et auquel le vieux Noula Hayek, le père de Skandar et de Mado, avait consenti, non sans s'être au préalable assuré de sa position et de sa fortune. Je ne sais si Mado accepta facilement l'idée d'épouser un émigré qu'elle n'avait jamais vu, mais elle dut finalement attendre avec curiosité ce promis dont on lui avait dit qu'elle pouvait parfaitement le refuser s'il n'était pas à son goût. Le vieux Hayek avait même fait à sa fille le serment de ne la marier que si l'homme s'engageait à revenir du Mexique au bout de cinq années, pour investir et vivre au Liban. Mado avait peut-être senti que cette union serait l'occasion pour elle de voir du pays et elle attendit, sans *a priori*, avec curiosité même, recevant de temps à autre une photo sur laquelle, je suppose, le futur fiancé devait poser, l'air avantageux, avec une lavallière, une canne et un costume blanc, devant la façade d'un ranch. Accompagnant ces photos, il y avait des lettres, sans doute pleines de jolies formules, de descriptions d'haciendas, de paysages grandioses, de promesses de voyages à Paris ou à New York. En retour, le promis demandait lui aussi des photos, et Mado lui en envoyait, de même que des missives pleines de réserves, comme il seyait à une jeune femme du milieu des années trente.

Évidemment, on ne peut pas dire qu'à ce train elle ait pu aimer cet inconnu dont elle n'avait que des représentations hiératiques, arrangées, toutes semblables, à l'instar des formules toutes faites qu'il lui écrivait dans ses lettres. Mais il est certain que, à force d'attendre et de rêver, elle s'attacha à l'idée plus qu'au personnage, et à tout ce qu'il représentait, le voyage, les lavallières, l'aventure dans des pays lointains et la fortune constituée virilement. Bientôt, le promis annonça que dans deux mois au plus tard il serait là, deux mois qui parurent interminables, puis on apprit que le bateau qui l'amenait de son long périple depuis la côte ouest du Mexique avait accosté. Les Hayek s'apprêtèrent à le recevoir, les femmes se firent confectionner des robes pour l'occasion, les couturiers allaient et venaient, Mado acheta des chapeaux, des ceintures, des chaussures par dizaines, on lui commanda des malles et des valises neuves pour son voyage, et son frère Skandar lui offrit un Guide Bleu du Mexique. Les divers intermédiaires annoncèrent que le fiancé était prêt à venir faire sa visite, on fixa la date, et tout alla bien jusqu'au jour dit, où le désastre eut lieu. Ce ne fut pas un désastre lié à une déconvenue, à la découverte que l'émigré était bigleux, ou sentait mauvais. Au contraire, il était exquis, d'une quarantaine d'années, décidé et plein de bonnes manières. Je crois même que tous ces avantages contribuèrent à rendre la suite de l'histoire encore plus violente, parce que Mado, tout en découvrant enfin l'homme qu'elle attendait et qui était bien tel qu'elle l'avait rêvé, le vit aussitôt lui échapper. Non que lui de son côté la trouvât laide, ou petite, ou revêche, ce qu'elle n'était pas à cette époque-là. Non. Ce qui se passa, d'après la légende, c'est que l'après-midi de la visite, et alors qu'il était en route vers Ayn Chir, dans la grosse automobile de Georges Ghosn, un des intermédiaires principaux entre l'émigré et les Hayek, il perdit son chemin. Ou du moins c'est Georges qui le perdit, au volant de la DeSoto ou de la Bugatti des Ghosn. Je ne sais pas ce qu'il faut en penser mais quand même, qu'un ami de la famille, et un Ghosn de surcroît, un gars de la région, trouve le moyen de s'égarer, cela a quelque chose de louche, même si, paraît-il, Georges voulait profiter de la visite pour montrer un verger à vendre à son émigré d'ami. Les deux hommes, en complet et chaussures blanches, les chapeaux sur le siège arrière de la grosse berline, se perdent donc, ils se dirigent vers Hadet au milieu des orangeraies, cherchent vainement la parcelle à vendre, s'enfoncent dans des traverses, et les voilà perplexes. Ils roulent, débouchent à Borj Brajneh, font demi-tour, reviennent vers Haret Hreïk pour atteindre Ayn Chir par le sud. Et c'est là, à l'entrée de Ayn Chir sur le bord de la route, le long des orangeraies ou des oliveraies, entre la maison des Aramouni et celle des Kheir, qu'ils aperçoivent une silhouette, la funeste silhouette de Layla, la fille de Habib Aramouni, le négociant en grains. Selon la légende, Layla est sortie ce jour-là en promenade avec une de ses cousines. La cousine est en train de cueillir quelques fleurs sur un bosquet de bougainvillées, elle a posé son ombrelle ouverte sur le sol, son petit chapeau a glissé, et Layla la devance sur la route. Elle a deux grandes tresses, une robe bleue et une ombrelle, elle aussi. Elle se retourne en voyant arriver la voiture. Celle-ci ralentit, Georges Ghosn par la vitre baissée demande son chemin, et là, on peut l'admettre comme on peut estimer que ça fait partie des arrangements qui ont suivi, de la légende arrangée plus tard pour faire accepter le scandale et l'inacceptable, et là, donc, au lieu de leur indiquer la maison Hayek, Layla fait un joli geste de la main et commande aux deux mâles dans la grosse berline de la suivre, elle qui va à pied. Imaginons la scène, la belle se dandinant, faisant rouler son ombrelle dans sa main, marchant au-devant de l'automobile qui va au pas un peu en arrière, et à l'intérieur les deux hommes qui n'osent dire un mot de peur de rompre cet étrange charme puis qui par curiosité poussent un peu l'accélérateur, et voilà la DeSoto ou la Bugatti qui avance côte à côte avec la jolie Layla. Cette dernière de temps à autre se retourne et entretient les deux amis : « Vous venez d'où ? Comment avez-vous fait pour vous perdre ? » Puis elle éclate de rire en entendant l'histoire, s'arrête pour attendre sa cousine qui a ramassé son ombrelle et qui arrive à grands pas, des fleurs carmin à la main, et tout cela, on l'aura compris, agit si violemment sur l'émigré fraîchement débarqué des Amériques que, au moment où enfin il a été mené jusque chez les Hayek, où il met pied à terre devant le perron de la maison des parents de sa promise, il n'a plus de pensées que pour cette apparition merveilleuse. Durant toute la durée de la visite tant attendue, tant préparée par les Hayek, et où Mado le trouve si beau, si élégant et si raffiné, où l'on sert le vin blanc et les petits gâteaux, où les serveurs ont mis les gants et les femmes de la phratrie quelques bijoux discrets mais qui valent des fortunes, lui de son côté est distrait, il répond avec retard aux questions du vieux Hayek, il parle peu et regarde Mado comme à travers un voile. Les Hayek ne remarquent rien, ils ont l'air satisfait, et ne s'étonnent pas trop de l'empressement du promis à se lever et à partir, ils mettent ça sur le compte de la bienséance. Mais le surlendemain ils apprennent que l'homme s'est renseigné sur Layla Aramouni, que les parents de cette dernière lui ont accordé une visite après avoir eux-mêmes pris sur lui des renseignements et qu'il est prévu qu'il vienne demander officiellement la jeune fille en mariage, ce qu'il n'a pas fait chez les Hayek.

Évidemment, on peut croire à cette histoire bizarre, à cette rencontre sur le bord de la route, malgré tout ce qu'elle a d'invraisemblable, ou ne pas y croire et souligner l'absurdité de la chose, l'impossibilité pour deux femmes de se promener seules, de se laisser aborder, ou pour un homme de changer ses projets sur un simple charme lié à une ombrelle roulant dans une main et à un éclat de rire, et voir dans cette ravissante version une manière de déguiser une trahison incroyable. Or, le plus étrange, c'est que les Hayek eux-mêmes en favorisèrent la diffusion, aux dépens d'une autre, qui circula aussi en ville, et qui pour eux était plus embarrassante parce qu'elle mettait en cause dans cette trahison le personnage même de Georges Ghosn. Selon cette autre version, Georges aurait fomenté de longue date le changement de fiancée et l'aurait lui-même déguisé en pur produit du hasard en inventant cette histoire de voiture s'égarant et de jeunes filles sur la route avec leurs ombrelles. Et si les Hayek firent l'autruche, s'ils feignirent de croire cette fable et s'ils disculpèrent Georges, c'est parce que ce dernier était le frère de Marie, la femme qui était promise à Skandar. Selon leurs calculs, une brouille avec les Ghosn à cause de cette affaire aurait abouti à l'annulation du mariage prévu entre Skandar et Marie et, de ce point de vue, la chose était moins rentable que de disculper Georges en jetant plutôt le discrédit sur le seul émigré, qui dans la mythologie du clan devint le symbole de la félonie. Les familles ont parfois une formidable capacité à s'obstiner à croire à l'incroyable et à refouler la vérité pour faire triompher leurs intérêts matériels, et c'est ainsi que les Hayek jamais ne dirent, en public en tout cas, un mot inélégant à propos de Georges Ghosn. Mais cela eut un effet déplorable, parce que tout ce mensonge, cette mauvaise foi, ce silence, c'est Mado qui en porta le poids. Non que je mette sa maladie sur le compte de cette affaire, comme fit tout le monde à ce moment. Le fait qu'elle soit tombée malade juste après avait quelque chose de romanesque qui donna à la jeune fille le rôle de victime expiatoire, sacrifiée pour des raisons supérieures, et cela marqua les esprits. Mais allez savoir, peut-être que tout ce qu'elle vécut, sa façon de faire comme si de rien n'était, de ravaler sa rage et sa déception, d'accepter la version officielle des faits, l'aura vraiment affaiblie et livrée au mal qui allait s'emparer d'elle. Mado était fière, elle fit preuve d'une incroyable indifférence, rangea les robes, les chapeaux et les malles avec dédain et revint à sa vie d'avant. Elle devait néanmoins pleurer de rage et de dépit lorsqu'elle était seule, se sentir humiliée quand elle constatait que les siens continuaient à parler des

Ghosn et du mariage à venir de Skandar. Mais elle voulut être forte, elle se convainquit qu'elle l'était et son entourage le crut. Pour se donner bonne conscience, on répétait sans arrêt « Mado a un sacré caractère » ou « Mado tient de son père, rien ne l'ébranle », et on était tranquille, sauf qu'en réalité Mado était minée de l'intérieur, son estime d'elle-même en avait pris un coup, et quand elle se regardait dans la glace, ce qui chuchotait en elle c'était : « Je suis moche, je suis maigre, je n'ai pas la peau laiteuse de Layla Aramouni, ni sa cambrure, ni ses cheveux. » Si bien que lorsqu'elle éprouva les premiers symptômes de son angine, la fatigue, les maux de gorge, la fièvre, elle ne fit rien pour lutter. En ce temps-là, il n'y avait pas encore d'antibiotiques, les médecins se succédèrent à son chevet, on la soigna avec de la quinine, des vapeurs d'eucalyptus, des glaçons sur la tête, du miel et des infusions de menthe. Mais son état empira, puis un jour elle éprouva des douleurs à la poitrine, on la transporta livide et presque inerte à l'Hôtel-Dieu, et quand elle en sortit elle était devenue cette espèce de spectre hâve, une jeune femme déjà vieille qui continua sa vie entière à porter le souvenir mortifiant de la visite de non-demande en mariage et la haine des Ghosn, une haine désormais presque aussi ancrée en elle que son attachement inexplicable à son patrimoine familial, comme si ce patrimoine était la seule chose à laquelle s'agripper alors qu'elle aurait dû lui vouer à lui aussi une inébranlable détestation. Et tout cela évidemment s'aggrava lorsqu'elle dut affronter l'arrivée et l'installation chez elle, sur ses terres, de Marie, la sœur de Georges Ghosn.

4

Le pire, c'est que Marie n'arriva pas seule. Elle était accompagnée de sa gouvernante, Wardé. Celle-là, je ne l'ai pas connue mais je sais qu'elle avait été au service des Ghosn durant un demi-siècle, qu'elle avait vu naître Marie, qu'elle l'avait élevée et était venue ensuite avec elle chez les Hayek, où elle avait placé pour lui succéder sa propre nièce, cette chère Jamilé. Et c'est Jamilé, à qui sa tante avait tout rapporté, qui m'a dit l'histoire de Marie, certaines après-midi où elle venait s'installer à mes côtés, sur le haut du perron, au soleil, pour coudre ou égrener les grenades du jardin, des activités qui, me confiait-elle, la distrayaient et lui faisaient oublier sa vie inepte et creuse, elle dont pourtant le corps toujours ferme et les seins dardant sous ses robes la rendaient encore si désirable. Elle rechigna beaucoup à me la dire, cette histoire, menaçant, si j'insistais à vouloir l'entendre, de se lever et d'aller coudre ou égrener ses grenades ailleurs. Mais elle mourait d'envie de la raconter, et commença en confirmant que Skandar et Marie à leur début ne voulaient pas l'un de l'autre, que Marie était amoureuse d'un autre homme, et c'est d'elle que j'entendis pour la première fois le nom de Badi' Jbeili. Elle me confia qu'au commencement nul ne s'était douté de rien, et que Wardé fut la première à comprendre. « Je ne sais pas comment ma tante le sut, dit Jamilé en riant, elle qui est morte sans jamais avoir connu que le mari qu'elle avait fui naguère en se plaçant chez les Ghosn. » Ce ne devait pas être bien compliqué, en fait. Badi' Jbeili était un jeune homme issu d'une famille naguère prospère. Son père avait fait faillite, mais lui-même fréquentait les cousins de Marie qui habitaient Achrafieh. Ces cousins avaient des sœurs chez qui Marie allait fréquemment et c'est ainsi qu'elle le rencontra. Pour le reste, les choses durent se passer comme toujours dans ces cas-là, les filles qui rient, potinent et font de la balancelle, les garçons qui viennent s'asseoir, ou qui poussent la balancelle et font des plaisanteries. Badi' les accompagne souvent et voilà la messe dite, regards équivoques, rougeur sur les joues de Marie qui petit à petit est gagnée par l'audace, qui s'isole avec Badi', encouragée par ses cousines, et tout ce monde évidemment joue avec le feu parce que l'on sait très bien que le mariage de Marie et de Badi' est impossible. Mais on s'amuse, on élabore des scénarios, on essaie de les faire exister, la vie pour un moment est comme un roman, oui, elle dit ça, Jamilé, « la vie pour un instant est comme un roman », et elle eut alors un air absent, un sourire lointain sur la face. Bientôt, poursuivit-elle, inventant ce qu'elle ne savait pas, s'investissant dans l'histoire que sa tante lui avait racontée comme si c'était la sienne, bientôt la chose se sait chez les adultes, les mauvaises langues sont légion autour des deux amants et on rapporte le fait au père de Marie qui convoque sa fille et lui fait des reproches, l'avertit qu'il ne tolérera pas d'écarts de conduite et lui rappelle qu'elle est promise au fils Hayek et qu'à ce choix elle a elle-même consenti.

Or Marie est amoureuse et n'écoute plus que sa fougue. Elle prolonge les tête-à-tête avec Badi' chez ses cousines, joue avec lui au tennis et s'étend en posant sa tête sur ses genoux quand ils vont en pique-nique. Elle paraît si heureuse que les sourcils se lèvent autour d'elle, les dents grincent, et son père entre dans une grande colère en lui interdisant les sorties autrement que chaperonnée, pour aller faire des courses ou des visites avec sa mère. En réponse, Marie refuse alors de sortir. En se cloîtrant, en se faisant passer pour prisonnière, elle pense attendrir son père, qui ne fléchit pas. Celle qui s'attendrit en revanche, c'est Wardé. Non que cette dernière ne fût pas soucieuse de la réputation de Marie mais parce que, au commencement, elle n'aimait pas Skandar Hayek, le fiancé de Marie, elle le trouvait hautain et trop sûr de lui, alors que Badi' était un homme doux, aimable et qui, malgré sa situation financière difficile, était toujours digne, joyeux, bien mis, poli et déférent, et plein d'attentions à l'égard des petites gens. Wardé alors devint la protectrice et la complice de Marie dans sa prison volontaire. Telle une geôlière complaisante, elle joua la sévérité, fit mine d'approuver la décision de ses patrons, tenta de convaincre Marie de sortir et d'oublier son amour, mais ce n'était que diversion parce que en réalité elle faisait passer des lettres à Badi'. Elle céda d'abord parce qu'elle craignait pour la santé de sa protégée, tout en jurant et répétant que c'était pour une seule fois, que cela ne se répéterait pas, puis la fois suivante en marmonnant qu'elle était trop bonne, que si ses patrons l'apprenaient ils la mettraient à la porte, etc. En fait, elle était heureuse de favoriser ou de permettre que perdure une relation qu'elle souhaitait voir se concrétiser. Elle aussi se faisait un roman et jouait à le vivre par procuration, sans se douter des désastres que sa bienveillance pouvait entraîner. Durant le temps où Marie resta cloîtrée dans sa chambre, Wardé voyait le bouleversement de la jeune fille quand une automobile roulait dans la rue, ou quand un bruit, sous le balcon, ressemblait à celui d'un passant ralentissant le pas. Elle la voyait se redresser comme un chat, ou courir sans aucune retenue pour se pencher par-dessus la balustrade, les cheveux dénoués, le regard brillant. Finalement, Wardé alla plus loin et ferma les yeux lorsque Badi' vint chez les Ghosn en cachette, un jour que les maîtres étaient absents. Elle fut même dès le début dans le complot, maintenant les bonnes à la cuisine à nettoyer des caisses de poireaux ou à effeuiller des kilos de céleris tandis que Badi' se glissait subrepticement jusqu'à la chambre de Marie dont la porte était demeurée ouverte selon ses ordres. Wardé était très vigilante sur les questions d'honneur, elle monta la garde dans le corridor, devinant que des baisers étaient échangés, des baisers qu'elle interrompait par des raclements de gorge quand elle estimait qu'ils étaient trop longs, que les silences dont ils étaient la cause devenaient trop ambigus. Puis elle avertit que le temps qu'elle avait accepté d'accorder était passé, toussa encore et entra dans la chambre pour mettre un terme à cette rencontre qui fut la dernière. Avant de le quitter, Marie promit à Badi' qu'elle le ferait inviter à une grande soirée qu'organisaient ses parents, qu'elle l'imposerait à tout le monde, qu'il fallait tenter la chose parce qu'on ne pouvait continuer à vivre ainsi. Marie pensait que Badi' gagnerait les bonnes grâces des siens par sa noblesse naturelle, son maintien et sa conversation, et qu'il suffirait à son père de voir le jeune homme pour que son opinion sur lui changeât, ce qui était d'une naïveté sans nom. Et quant à savoir comment elle réussit à le faire inviter, je n'en ai pas la moindre idée, ni Jamilé d'ailleurs, qui me le raconta. Mais la suite fut désastreuse. Car Badi' ne vint pas, ou plutôt il vint mais on ne lui permit pas d'entrer. Il se présenta devant le portail du jardin de la résidence des Ghosn, devina sous les grands pins à l'intérieur, derrière les murs d'enceinte, les paillettes de lumière que devaient projeter les salons. Devant lui des automobiles s'arrêtaient, puis des gardiens leur cédaient le passage après s'être imperceptiblement penchés pour regarder par la vitre du chauffeur, ou simplement pour marquer leur respect en une courbette obséquieuse. Or ce qui se produisit, dit Jamilé en m'observant d'un air de reproche, comme si j'étais concerné par ce qu'avaient fait des gardiens et des chauffeurs des décennies auparavant et comme si j'avais pu faire la même chose, ce qui arriva, c'est que l'un des gardiens, au regard suspicieux, attendit sans rien dire que le jeune homme s'explique. Ce qu'il fit, précisant qu'il était convié à la soirée ici offerte, et il montra le carton d'invitation. Mais le gardien ne daigna pas y jeter un regard et d'un geste lui ordonna d'aller se garer ailleurs, autrement dit de revenir et d'entrer à pied dans la résidence. « Tu comprends où le bât blessait, n'est-ce pas ? » me dit Jamilé avec une aimable brusquerie. C'était la voiture de Badi', je ne sais quelle vieille chose dans laquelle il roulait, qui posait problème. Après les grandes berlines (et là Jamilé hésita, me regarda d'un air bougon, pour que je l'aide), après les Cadillac, les Buick ou les Jaguar qui l'avaient précédé, et devant la grande Bugatti qui attendait derrière lui, évidemment il devait faire gravement tache avec sa Taunus ou son Aronde et on ne pouvait admettre de dépareiller l'admirable haras automobile qui, dans les jardins de la villa illuminée, devait à lui seul être un spectacle à couper le souffle. L'embarras de Badi', sur le moment, dut être extrême, il hésita entre faire un esclandre et s'excuser. Puis les choses tournèrent à l'humiliation, le gardien fit reculer la somptueuse automobile derrière lui pour qu'il puisse accomplir sa manœuvre et dégager. Un autre cerbère, moins féroce ou plus charitable, vint aimablement lui expliquer, par égard pour son complet et son air quand même passablement civilisé, qu'en fait il n'y avait plus de places à l'intérieur et qu'il pouvait se garer juste là, devant, le long du mur, sous cet arbre. Badi' dit : « Oui, merci, d'accord », fit sa manœuvre, se dégagea, mais au lieu de se garer il quitta les lieux, en proie à une rage froide non contre Marie qui l'avait mené dans ce piège, ni contre les gardiens qui l'avaient ainsi traité, mais contre le sort qui l'avait fait plus pauvre que les gens qu'il fréquentait. Il tira de cette déconvenue (qui était peut-être aussi un message ultime à lui adressé par Antoun Ghosn) la conclusion qu'il ne parviendrait jamais à épouser Marie. Afin d'éviter de souffrir en continuant à la croiser, d'éviter de souffrir quotidiennement à l'idée qu'il était pauvre et donc incapable de l'aimer comme il le voulait, il fit parvenir le lendemain un mot d'explication aux cousins de Marie accompagné d'une lettre à cette dernière mais qui ne devait lui être remise qu'une semaine après, le temps pour lui de préparer son départ et de s'embarquer pour Le Caire, où il avait un frère qui depuis des années lui proposait de venir, parce que là-bas il y avait du travail et des opportunités pour s'enrichir.

Selon ce que me conta Jamilé ce jour-là, et qu'elle tenait comme tout le reste de sa défunte tante, lorsque Marie reçut la lettre où, dans des phrases pleines d'euphémismes, Badi' lui racontait sa déconvenue, elle ne put croire à l'idée de son départ. Elle sortit enfin de chez elle et en taxi se rendit à Msaytbé, chez les Jbeili. C'était le soir, la voiture l'attendit devant le portail. Elle avait une cape noire et monta les marches du grand escalier de la maison fatiguée. La jeune fille qui lui ouvrit lui répéta ce qu'elle n'avait pas voulu entendre jusque-là, à savoir que Badi' était en Égypte. « Vous êtes sa sœur ? » demanda Marie. La jeune fille répondit que oui. Lorsque la mère de Badi' apparut à son tour, Marie eut un choc et faillit s'effondrer en découvrant la ressemblance de cette dernière avec l'homme qu'elle aimait. Elle n'entendit pas l'invitation à entrer qu'on lui faisait doucement, et que la mère répéta tandis que la sœur de Badi' lui demandait si elle allait bien. Puis toutes les deux voulurent apprendre qui elle était. Elle dit : « Je suis Marie Ghosn », pensant que cela déclencherait un élan de compassion, des regards attristés. Mais les deux femmes eurent un air étonné et Marie comprit enfin qu'elles n'étaient au courant de rien, même pas de son existence à elle. Incapable sur le moment de réaliser que c'était par pudeur et par prudence que Badi' avait caché son amour, Marie recula, remercia, et sans autre forme de procès redescendit les marches, les jambes flageolantes. Elle remonta en voiture dans un accablement immense qui s'acheva en sanglots, ce qui mit le chauffeur de taxi dans le plus parfait embarras pendant qu'il roulait vers Ayn Chir.

Durant les jours qui suivirent, Wardé aida Marie à enquêter discrètement, non pour la faire arriver à la vérité mais pour tenter au contraire d'en atténuer les effets, parce que très vite, ce qu'elle découvrit, et qu'elle ne put empêcher Marie de découvrir à son tour, c'est que son père était bien à l'origine de l'affaire et qu'il avait une fois pour toutes décidé que Badi' n'entrerait pas chez lui. Marie recommença alors à sortir ostensiblement. Elle essaya de trouver un moyen de rejoindre son amant et prépara froidement un départ secret, secondée par une de ses cousines, la plus tête brûlée de toutes. Elle était prête à un voyage clandestin, à l'incertitude sur son logement en Égypte, à la sombre perspective d'une vie de misère que peut-être Badi' lui-même n'accepterait pas pour elle. Mais la maladresse des deux jeunes filles, leurs déplacements en tram, elles dont les tenues et les manières tranchaient dans la foule des transports en commun, leurs visites incongrues chez des agents de voyage en ville, à la poste centrale où elles ne cessaient d'aller envoyer des télégrammes, oubliant dans leur empressement leurs ombrelles ou leurs chapeaux sur les comptoirs en bois ou chez des créanciers qui étaient aussi des amis de leurs parents, tout cela alerta ces derniers. Wardé aussi finit par mettre ces patrons discrètement au parfum, de peur de voir sa protégée faire des bêtises. La tentative avorta donc. Marie pleura, s'enferma à nouveau, puis, dans un sursaut de violence contre elle-même, cessa de s'alimenter, se mit à fumer, ce que le vieux Antoun Ghosn ne put supporter. Les crises de Marie redoublèrent. Au cours de l'été, au Grand Hôtel de Sofar où sa famille passait les mois chauds, elle fit un scandale un soir en buvant exagérément et en se donnant en spectacle dans les salons et les jardins pleins d'estivants, de vieilles dames jouant au bridge et d'hommes sirotant des jus devant des parties de trictrac. On dut la faire monter de force dans sa chambre. Le lendemain, on la rapatria à Beyrouth où elle demeura cloîtrée pendant plusieurs semaines avant que son père et sa mère ne la libèrent enfin et ne la convoquent dans le salon de la maison, cérémonieusement, puis ne lui demandent si à son avis il n'était pas temps de songer à se marier, manière pour eux de lui annoncer que la décision de ce mariage était prise. Marie ne répondit rien, elle tomba dans un mutisme complet, ce qui facilita la tâche à tout le monde, et permit aux préparatifs d'aller bon train. C'est Wardé qui, au bout de plusieurs jours, convainquit Marie de réagir. Marie déclara alors qu'elle allait se marier, il n'y avait rien d'autre à faire, et elle se maria, ce fut grandiose, paraît-il, la pompe ecclésiastique arrangée par les deux familles, puis le banquet sous les arbres du grand jardin des Hayek, les nappes qui s'envolent dans le vent et les abadayes en tenue du dimanche qui tirent des coups de fusil en l'air. Marie elle-même, superbe et gaie, rit, but et dansa, et on aurait pu croire que lentement la vie lui revenait. Skandar lui offrit une existence de reine et elle ne sembla plus garder un souvenir si douloureux du mauvais coup qu'on lui avait fait. Sauf que moi, pendant toutes ces années, je n'ai pu m'empêcher de sentir que derrière l'incroyable beauté, l'élégance et la douceur apparente de Marie, derrière l'activité incessante que son rôle de femme de grand notable lui imposait, une espèce de langueur, de moments de soudaine et incompréhensible lassitude, d'imperceptible indifférence à tout, une lave refroidie bloquaient en elle tout sentiment de joie réelle, de plaisir effectif, sauf à ce qui touchait ses enfants. Elle était avec moi comme avec chacun d'une amabilité, d'une bonté et d'une générosité extrêmes, mais elle y imposait très vite des limites, ce que tous mettaient sur le compte d'une forme de distance aristocratique, alors que ce n'était que le résultat d'une incapacité à se laisser aller, à être naturelle, comme si elle veillait sans cesse sur elle-même, dans le souvenir en permanence ranimé de la blessure initiale, du coup monté dont elle avait été victime et qui l'empêchait de vivre heureuse. Je crois que, à part ses enfants, Jamilé était la seule personne avec qui elle était vraiment à l'aise, comme elle l'avait été avec Wardé, et c'est sans doute parce que celle-là était la nièce de celle-ci. Au début, quand Jamilé était encore jeune, Marie s'intéressait sincèrement à ses affaires, à ses moments de déprime ou à ses petits bonheurs, elle l'appelait dans sa chambre, la faisait asseoir devant elle et l'écoutait lui raconter ses histoires de pauvre fille tenue en quasi-esclavage par ses parents et sa tante. En sortant, Jamilé avait un air illuminé, béat, heureux. Elle aimait sa maîtresse comme une mère, et cela explique en partie pourquoi elle ne l'a jamais quittée, pourquoi elle est restée à ses côtés chez les Hayek, malgré l'insupportable caractère de Mado qui lui en a fait voir des vertes et des pas mûres et se vengeait sur elle à défaut de pouvoir toucher Marie. Jamilé était contente de servir de bouclier à cette dernière, même si Marie n'en avait pas besoin, car la force de sa distante amabilité et de son indifférence polie suffit toujours à désarmer Mado. Et puis Jamilé s'était attachée aux enfants, et à Skandar aussi, et à cette maison, qui était devenue un peu la sienne comme elle est devenue la mienne, ce qui justifie que nous soyons demeurés à leur service durant toutes ces années.

5

C'est au milieu de ce triangle infernal que nous avons tous vécu, mais c'étaient des temps heureux pour nous, et c'est comme si j'étais toujours assis sur ce perron, le matin, dans mon carré de soleil, à regarder les bonnes sortir les tapis, à voir passer les livreurs et travailler les affûteurs qui devant le porche faisaient grincer la pierre ronde sur les couteaux de la maison, si bien que l'univers entier semblait rempli des longs cris d'effroi que causait la rencontre du métal et de la pierre. Joyeuses, les bonnes riaient, les mains sur leurs chastes oreilles, tandis que tout autour le monde tournait aussi bien que cette pierre grise de l'affûteur, un monde qui se limitait pour moi à la propriété, à ses jardins et à nos vergers, eux-mêmes enclos dans les orangeraies de Ayn Chir, que les spéculateurs commençaient à dévaster. Plus loin à l'ouest, c'étaient le camp palestinien d'où arrivaient tous les matins les ouvriers de l'usine, puis les terres des chiites, leurs haras, leurs écuries, puis les dunes et leurs squats d'où venaient d'autres travailleurs, originaires du Jabal Amel, puis enfin la mer. Vers le nord, en suivant la route qui passait devant le portail et sur laquelle je voyais filer à toute allure les automobiles et les autobus de marques américaines, Ayn Chir se prolongeait, en direction des propriétés de Baaklini, des Nassar et des Cassab avant de déboucher sur la Forêt de Pins et sur les premiers faubourgs de la ville. Sur ce monde-là, qui tournait encore assez bien au milieu des années cinquante, régnaient quelques familles, les Ghosn, les Kheir et les Henein, et aussi les Hayek et leur chef, mon patron. Et ce dernier, du plus loin que je me souvienne, m'a toujours donné l'impression que cela ne lui était pas agréable, considérant qu'il avait un métier, ou un devoir, celui de mener la barque des Hayek jusqu'à l'extrême limite de ses moyens, de gérer ce qui lui avait été légué puis de le léguer à peu près tel quel à son successeur, ce qui, dans les temps où il vécut, était de plus en plus difficile. Pourtant, il le fit au mieux, il tenait tout, le nom et les biens, et il les défendit avec succès, avec cette claire conscience de ce qui était à lui, de ce qu'il devait préserver et de ce qu'il lui était permis de lorgner pour élargir sa puissance. Il était réaliste et pragmatique. On a dit surtout qu'il était dur, impénétrable, et en effet il l'était, même si quand il était assis à côté de moi en voiture il lui arrivait de me faire des confidences qui contribuèrent à ce que je devienne peut-être de lui la personne la plus proche. Mais il était difficile à cerner, imperturbable et tenace, ne s'occupant jamais des affaires domestiques, jamais des petits détails de la vie, seulement des questions qui conditionnaient la pérennité de ce monde, la mainmise sur la municipalité, l'alliance politique avec les chefs chiites du clan Rammal de Hayy el-Bir, l'usine et sa clientèle arabe, les chevaux, les orangeraies dans leur extension au-delà des simples limites de la villa. C'est peut-être pour cela qu'il donnait l'impression de regarder ailleurs, loin, même lorsqu'il était près de vous, si bien que lorsque parfois son attention était attirée par un objet familier, une marche d'escalier dont le marbre était éraflé, un bruit dans le moteur de l'Oldsmobile ou de la Buick, ou qu'il se concentrait pour écouter l'un de ses ouvriers qui souhaitait s'absenter le lendemain, on avait le sentiment qu'une sorte de divinité venait soudain de se pencher sur nos affaires triviales et cela avait un grand retentissement sur nous tous.

Et pourtant mon patron prenait aussi un malin plaisir à tourner son pouvoir en dérision, dans des moments d'incompréhensible euphorie. Son histoire favorite à cette occasion était celle de l'ancêtre des Hayek, l'homme qui avait fait fortune dans la crotte de chameaux, comme il disait. Je n'ai jamais entendu que lui en parler, ce qui agaçait souverainement sa sœur Mado, d'autant qu'il reprenait souvent cette histoire devant ses invités à dîner, ou au cours des repas de famille, à midi. Il racontait avec force détails que cet ancêtre du clan n'était qu'un paysan comme tout le monde à Ayn Chir à cette époque et que, comme tout paysan, il collectait pour ses champs les engrais de ses propres bêtes ou de celles de ses voisins. Et puis, ajoutait-il, l'ancêtre eut une idée lumineuse, sans doute un jour qu'il s'était rendu à Beyrouth et s'était arrêté dans un des caravansérails de la ville d'où les garçons d'écurie sortaient par tas le crottin des chevaux, des chameaux, des ânes et des mulets. Il se mit à acheter ce purin, le faisant ensuite remonter par charrettes entières vers Ayn Chir afin de le vendre à tous les fermiers du coin, aux Baaklini, aux Rached, aux Malkoun, aux Henein, pour qui c'était plus pratique que d'aller quémander de la merde à leurs voisins. Il fit de la livraison à domicile, en quelque sorte, s'exclamait mon patron en riant, il dut même en vendre aussi à Kfarchima, et pourquoi pas à Choueifat, après quoi, les affaires prospérant, il s'appropria plusieurs caravansérails, ce qui fait qu'il n'avait plus à acheter sa marchandise avant de la revendre, elle lui était fournie par ses propres clients. Et il paraît, concluait mon patron hilare, que dans ces caravansérails de l'ancêtre des Hayek les clients, les voyageurs, les négociants venus de Damas, de Jaffa et de Saint-Jean-d'Acre se plaignaient d'être moins bien traités que leurs bêtes, et il riait, surtout quand il racontait cela à ses enfants, à table, à midi. Sa sœur alors le foudroyait du regard. « Je me demande où tu vas inventer ça, Skandar, disait-elle. Voyons, c'est ridicule ! » Ce à quoi Skandar répondait péremptoire, de sa voix de tribun : « Nous sommes tous d'anciens paysans et tout ça (il indiquait d'un geste large la maison, les meubles, les tapis, les faïences, les acajous, les damas et implicitement les terres, les vergers, l'usine, les immeubles en ville et les entrepôts du port) nous l'avons eu grâce à de la crotte de chameaux. » Mais ses enfants ne savaient s'ils devaient rire, donc prendre son parti, ou protester, donc prendre celui de leur tante, ou plonger leur tête dans leur assiette en feignant l'ennui devant ce genre de conversation, et donc faire comme leur mère, qui finissait par déclarer qu'il serait bon de mettre un terme à ces histoires d'engrais alors qu'on était à table, ce à quoi Skandar obtempérait, mais en déclarant que l'on poursuivrait plus tard, avec le café.

Je ne crois pas, cela dit, qu'il y avait dans cette manière d'agir devant ses enfants un désir de leur faire prendre conscience de la relativité des choses et des classes sociales. Il n'y avait aucun message, parce que lui-même ne croyait en rien, ni dans la supériorité des siens ni dans la bonté des pauvres. Il raillait sa sœur et ses grands airs (« Je comprends maintenant d'où vient l'expression "Elle a l'air de quelqu'un qui a senti une mauvaise odeur" », disait-il, et il riait aux éclats) mais se moquait des tendances philanthropiques de ses enfants, qui durant leur adolescence eurent des élans de cœur pour les mendiants et les estropiés qui pénétraient sur le domaine et que je me chargeais de chasser aussitôt. Le problème, c'est que mon patron ne sut jamais vraiment communiquer avec sa progéniture, surtout avec ses deux garçons. Il leur envoyait sans cesse des messages contradictoires. Il était indifférent à la passion de Hareth, son fils cadet, pour les encyclopédies, les mappemondes et les livres en français qui encombraient sa chambre et sa tête, mais il l'emmenait à la chasse à l'automne, quand nous allions avec les Henein, les Ghosn et les Rammal dans la plaine de la Bekaa, ou sur les premiers contreforts du mont Hermon. Il lui apprenait à tirer, lui offrait pour rêver ces espaces où le garçon situait d'antiques histoires de guerres et de pèlerinages païens. Noula, son aîné, n'aimait, lui, que les sorties, les filles, les aventures amoureuses scabreuses dont son père se gaussait, riant de ses petites amies un peu gauches ou guindées. Et pourtant je les ai surpris souvent tous les deux en train de bavarder, après le déjeuner, sur la terrasse, à une dizaine de mètres du perron où j'avais l'habitude de me tenir, et où ils s'asseyaient dans des fauteuils en osier, attendant le café que mon patron prenait avant de repartir pour l'usine. Ils discutaient de femmes, parlaient d'actrices et de vedettes avec une complicité dont je n'aurais pas cru Skandar Hayek capable, surtout pas avec ses enfants. Cela pouvait aller assez loin, et un jour où je faisais semblant de sommeiller sur ma chaise, adossé au mur dans le carré de soleil, alors que l'on ne percevait d'autre bruit que celui des pas du jardinier qui passait en faisant crisser le gravier sous ses pieds, j'entendis Skandar demander machinalement à son fils, comme pour se rassurer mais aussi comme si c'était là une possibilité : « Tu ne touches pas aux bonnes, j'espère ? » Son fils répondit tranquillement : « Non, ne t'en fais pas », sur quoi ils se turent tous les deux parce que l'une des bonnes, justement, venait d'apparaître sur la terrasse, apportant le plateau sur lequel dans les tasses fumait le café. Certaines étaient fort jolies et il avait raison de s'inquiéter, le patron, elles avaient les traits fins et en même temps un peu sauvages, comme leur chevelure ample qu'elles attachaient pour les impératifs de leur métier. Et leurs corps étaient pleins de grâce, débordant d'attraits impatients qu'elles tentaient de dissimuler tant bien que mal derrière leurs tabliers. Je me souviens ainsi avoir vu un matin Skandar lui-même s'arrêter sur la terrasse et observer quelque chose avec une attention amusée, une concentration ravie semblable à celle que l'on a devant un tableau. Ce qu'il regardait, je l'avais sous les yeux depuis un moment, c'était le spectacle des bonnes assises pour une heure de repos autorisée par Jamilé, au milieu des fleurs, et entourant Karine, tel un harem autour de la sultane. Elles lui refaisaient sa coiffure à la manière de leur village du nord de la Syrie ou de la région de Baalbek, et la fardaient à la façon de leurs tribus kurdes, donnant à la jeune fille l'air d'une reine antique. Moi, je les contemplais comme il m'arrivait souvent de le faire, tout en imaginant que mon patron ne devait pas apprécier que sa fille se prélassât au milieu des servantes, entourée et manipulée comme une poupée. Je m'attendais à ce qu'il fît une remarque, non aux bonnes elles-mêmes mais à Jamilé, ou directement à Karine à qui il aurait donné l'ordre de bouger de là. Mais il ne dit rien, il demeura un instant immobile devant ce tableau, puis il repartit, me frôla de sa présence imposante et silencieuse, descendit les marches et se dirigea vers l'usine.

Cet épisode m'a marqué parce qu'il était rare. Ces bonnes, à vrai dire, mon patron ne les regardait presque jamais. Elles bruissaient sans fin autour de lui, le côtoyant avec crainte et déférence, se taisant à son apparition, le considérant à la dérobée. Mais toute cette prudence était inutile parce que, en définitive, il ne les voyait pas, il était parfaitement indifférent à leur existence, à leurs chants, à leur ballet quand, les manches relevées, les pieds nus, elles lavaient le sol à grande eau puis soudain se redressaient et se mettaient presque au garde-à-vous à son passage. Il avait néanmoins parfois à leur égard des attitudes magnifiques. Nous vivions dans une époque complexe et difficile, la roue des jours tournait comme la pierre de l'affûteur, grinçante et en même temps joyeuse, brûlante et pourtant étincelante, et lui, mon patron, était ainsi, difficile et resplendissant, dur et pourtant capable d'une générosité plus que royale. S'il ne remarquait pas les servantes qui travaillaient pour lui, si elles étaient à ses yeux presque insignifiantes, il suffit que le père de l'une d'entre elles vînt toucher le salaire de sa fille en annonçant qu'il allait la prendre et la marier pour que les choses tournent mal. « Veut-elle se marier, elle ? » demanda mon patron, assis dans un confortable canapé tandis que le père de la bonne se tenait du bout des fesses sur une chaise. « Bien sûr qu'elle le veut, puisque je le veux », dit ce dernier, un gaillard fort bien de sa personne, la moustache ombrageuse, le regard furibond, qui portait les bottes et le gilet des cavaliers de la région de Baalbek. Est-ce l'impertinence de la remarque ou le refus de voir bafoués l'existence et les droits les plus élémentaires d'une créature qui vivait sous son toit mais que probablement il n'aurait pu reconnaître si elle avait paru spontanément devant lui, toujours est-il que, en guise de réponse à la remarque du père, Skandar déclara sans autre forme de procès qu'il souhaitait entendre la fille. Moi, j'observais la scène non plus depuis ma place, sur le perron, mais de l'intérieur du salon, adossé au battant de la porte, aux aguets, parce que je connaissais la susceptibilité des gens de Baalbek. On fit venir la fille, qui n'osa pas contredire son père. Il lui faisait aussi peur que Skandar. C'est Jamilé qui déclara effrontément, en s'adressant directement à mon patron, et avec la claire conscience d'être en train de défendre un des éléments de sa troupe, qu'en fait le bonhomme voulait donner sa fille à un gars de soixante ans, et déjà marié de surcroît, parce qu'il lui en proposait deux mille livres. À ces mots, le père s'agita, fulminant, les yeux exorbités, tandis que sa fille, encouragée par le soutien de Jamilé, se jetait aux pieds de mon patron pour le supplier de la garder à son service. Son père faillit se lever, outré, mais il réussit à rester assis, sans pour autant cesser de gigoter sur son siège, marmonnant des choses incompréhensibles à propos des filles et de la malédiction que c'était d'en avoir. Je m'apprêtais à bondir et à le saisir au collet s'il faisait mine de vouloir aller vers Skandar ou vers la jeune bonne, mais le patron repoussa cette dernière, se leva et invita le gaillard à le suivre, ils avaient à parler. Ils sortirent ensemble et marchèrent dans le parc, mon patron passant son bras autour des épaules du Baalbaki comme s'ils étaient deux vieux camarades. Il lui conseilla de lui laisser la fille : « J'en ai besoin ici. Tu sais, on les forme, on ne peut pas les laisser partir comme ça. Et puis je me charge de la marier à quelqu'un de bien. » Et tout en l'entraînant un peu de force il lui susurra à l'oreille qu'il lui donnerait deux mille cinq cents livres pour la laisser en paix. « C'est mieux que ce que te donne le fiancé du village, non ? » chuchota-t-il sur un ton presque égrillard, et moi, en les voyant de loin, depuis le perron où j'étais revenu me poster, en devinant ce que proposait mon patron, j'imaginai les clans et les familles baalbakis de Hayy el-Bir rameutés, montant sur leurs grands chevaux, sortant les armes, criant au déshonneur, au scandale, à la honte, et nous attaquant. Mais pendant que j'avais ces idées mon patron s'exclamait avec impatience à l'adresse de son compère qu'il continuait de traîner à ses côtés : « Alors, c'est d'accord ? » L'autre, les pupilles dilatées par l'incrédulité, tenta de réfléchir, fit des calculs, se dit peut-être qu'en acceptant il pourrait ensuite revenir et exercer quelque chantage pour soutirer encore davantage de sous, puis se rendant vite compte que ce serait absurde lâcha précipitamment, effrayé par sa propre audace : « Trois mille cinq cents livres, pas moins de trois mille cinq cents livres ! » Mon patron fit comme s'il n'avait pas entendu, ne desserra pas l'étreinte qu'il faisait subir au père indigne, lui écrasant l'épaule comme dans un étau sans arrêter de marcher en l'entraînant sous les pins et les eucalyptus. Devant ce silence qui augurait peut-être d'un recul de la part de son interlocuteur, le bonhomme marmonna quelque chose puis, se rétractant, annonça : « Trois mille livres alors, trois mille livres, mais pas moins », ce qu'entendant mon patron soudainement le relâcha en s'exclamant : « D'accord. Allez, va pour trois mille livres ! »

Le soir au dîner, Marie fit remarquer à son époux qu'il avait littéralement acheté cette fille, et que ce n'était pas très moral. « Pas du tout, répondit Skandar, je l'ai affranchie, au contraire, et maintenant je vais la marier, et à quelqu'un de très bien. » J'eus peur qu'il ne pense à moi, je baissai les yeux, mais les siens se portèrent sur quelqu'un d'autre. Le patron jouait ainsi avec nos vies, il intervenait dans nos destins sans se demander si c'était normal, il pensait simplement que ce qu'il faisait était forcément bien pour nous. Pendant des semaines, il oublia cette histoire, ou la mit de côté, et puis un jour, levant le regard de sur sa paperasse, à son bureau, il vit un jeune ouvrier venu lui poser une question, ou lui remettre un colis, un de ces innombrables jeunes chiites, tous beaux et les yeux verts ou de jais, superbement bien faits, et qui auraient été ailleurs de jeunes premiers mais qui ici quittaient leurs village du Sud pour venir travailler en ville pour des salaires de misère. Celui-là s'était installé chez son oncle, un an auparavant. Ainsi qu'il me le raconta plus tard, cet oncle habitait une petite chambre tout près du camp palestinien de Hayy el-Bir et travaillait sur un chantier. Il ne gagnait presque rien et sa femme était manutentionnaire à l'usine de biscuits Ghandour. Ils avaient quand même reçu le garçon, à la condition qu'il se mît tout de suite à la recherche d'un travail. Le jeune homme avait tenté sa chance chez Ghandour, puis chez les filateurs, et avait finalement été embauché par les Hayek. Skandar n'engageait jamais même le plus simple coursier pour son usine aussi bien que pour ses entrepôts en ville qu'après l'avoir rencontré au préalable, et interrogé sur ses origines ou sa situation familiale. Je ne me souviens pas de l'entrevue de celui-là avec mon patron. Ils étaient tous semblables, ces entretiens, je les suivais de loin, entre mes paupières mi-closes à cause du soleil, j'examinais moi aussi le candidat, et je voyais le patron qui le regardait à peine, qui lui posait une question ou deux, distraitement, et l'autre répondait : « Oui, *ya beyk*, bien sûr, *ya beyk.* » Puis Skandar jetait sur lui un regard de fer, un de ces regards mortifiants qu'il savait poser froidement sur ses interlocuteurs. L'image du gaillard s'imprimait dans sa mémoire pour quelques minutes, puis il l'oubliait, il ne s'en souvenait qu'en le revoyant, comme il se souvint de celui-là en levant les yeux sur lui ce jour-là. Et alors, après avoir entendu ce qu'il était venu lui dire, il lui demanda, comme on demande à quelqu'un s'il veut bien faire une partie d'échecs ou de badminton, s'il voulait se marier. L'autre marmonna des choses embarrassées, mais déjà Skandar le convoquait le lendemain à la villa. Sans doute s'était-il rappelé la jeune affranchie, et il voulait s'acquitter enfin de sa mission envers elle, se débarrasser de cette petite formalité. Il la réunit dans son salon avec le jeune ouvrier. J'étais à nouveau adossé à la porte d'entrée, observant la scène. Les deux jeunes gens étaient assis face à face et ne se regardaient pas. Jamilé se tenait debout derrière la bonne, tel le chef d'un harem à qui on va demander son avis sur l'une de ses protégées. Assis dans son canapé, mon patron annonça aux deux jeunes gens qu'il les destinait l'un à l'autre, et qu'il était persuadé qu'ils s'entendraient et seraient heureux. Il ne comptait pas perdre une minute avec leurs scrupules, il savait parfaitement qu'en s'opposant à ce qui ressemblait à un ordre de sa part ils auraient craint l'un de perdre une excellente place, l'autre d'être rendue à son père. Le garçon tenta pourtant de gagner du temps, demanda à réfléchir au moins jusqu'au lendemain, mais le patron prit la mouche et le sermonna, et moi j'imaginai le garçon donnant son accord puis, à peine sorti de la maison, s'enfuyant, courant à travers les orangeraies et les oliveraies jusqu'à Hayy el-Bir. Mais je l'entendis déclarer qu'il lui fallait quand même avertir ses parents, au village, sur quoi le patron l'assura que ses parents seraient heureux. La perspective de sa fuite à travers les orangeraies me semblait de plus en plus évidente, mais lui à ce moment posa pour la première fois les yeux sur la jeune bonne et deux ans après, un jour qu'il me tenait la jambe, debout sur les marches du perron, il m'avoua que ce mariage était ce qui lui était arrivé de mieux dans sa vie, grâce à Dieu, et moi je le repris : « Grâce à qui, tu dis ? » Il répéta : « Grâce à Dieu. » Je n'insistai pas, mais je marmonnai quelque chose qui le fit rire, et il me confia que pendant un instant, ce jour-là, dans le salon, avant d'oser dévisager Mariam et de voir combien elle était belle, il s'était vu prendre la fuite aussitôt sorti, et courir à travers les orangeraies et les oliveraies. Il remarqua que je souriais d'un air entendu et demanda : « Quoi encore ? » Je dis : « Rien, rien », et alors il poursuivit en déclarant qu'il y avait une seule chose qu'il regrettait, c'étaient les figues de Barbarie, et quand je clignai d'un œil, interrogatif, il me raconta que lorsqu'il habitait chez son oncle, avant de s'installer sur le domaine des Hayek, il arrivait à l'usine à pied à travers les orangeraies et l'été, au retour, il s'arrêtait pour cueillir des figues de Barbarie, et que cela lui manquait. Et moi je trouvai ça tellement idiot que je lui demandai de s'écarter de mon soleil.

6

Les clans chiites originaires de Baalbek ou de Jabal Amel et dont étaient issus les deux mariés n'habitaient pas Ayn Chir mais Hayy el-Bir, aux alentours du camp palestinien qui s'était installé là en 1950. Quant aux chiites originaires de Ayn Chir même, ils vivaient à l'ouest de la circonscription. Pendant longtemps j'ai imaginé leurs terres comme des landes arides, semées de petites habitations de terre et entourées de haras. En grandissant j'y ai accompagné mon père. Nous traversions les orangeraies, puis les grandes pinèdes, jusqu'à la route intérieure. J'ai découvert que les landes étaient bien plus loin, que les orangeraies de l'Ouest étaient semblables aux nôtres et que les notables y avaient des villas comme celles de nos patrons. Sauf qu'eux avaient de véritables élevages de chevaux. Quand je suis devenu l'homme de Skandar Hayek, j'ai vu les choses sous un autre angle encore et je me suis intéressé de plus près à la politique en écoutant mon patron, ou en l'accompagnant aux réunions électorales ou lors de ses visites de condoléances dans les maisons de ses alliés politiques. J'ai appris petit à petit que chez eux aussi les chefs de famille étaient sans arrêt en conflit les uns avec les autres, pour des questions matrimoniales, commerciales, pour le contrôle des terres ou pour la mainmise sur la municipalité. Cette municipalité, nous la partagions avec eux. Sauf que, quand je dis « nous », je ne veux pas dire tous les chrétiens, non, je veux dire les Hayek et leurs alliés, les Ghosn et les Rached. Et, quand je dis « eux », je ne veux pas dire tous les chiites, non, seulement les partisans des Rammal, une de leurs grandes familles dont le chef le plus fameux était le vieux Hachem, qui était très proche de mon patron.

Je le voyais souvent, Hachem, il avait d'abord été l'allié de Noula, le père de Skandar, puis ce dernier avait pris la succession et l'alliance était demeurée, pour que la municipalité demeure. Il arrivait dans une grande DeSoto qui entrait cérémonieusement dans le jardin et venait se garer devant le perron où je me tenais. Je me levais alors que Hachem Rammal mettait pied à terre, dans un costume blanc, des chaussures blanches, que du blanc sur lequel son tarbouche rouge faisait comme une trace de sang sur la neige. Il avait aussi une badine, qu'il passait sous son aisselle avant de commencer à monter les quelques marches du perron. Chaque fois j'esquissais le geste de descendre à sa rencontre pour lui prêter main-forte, tandis qu'on avait couru avertir le patron de cette visite. Mais chaque fois je me prenais son regard de feu en pleine figure, je restais foudroyé, je le voyais grimper lentement, majestueusement, enfin il s'arrêtait à mon niveau, me demandait comment j'allais, et si mon patron était là. Puis il entrait tout aussi princièrement dans la maison pendant que sa grande DeSoto silencieusement avançait pour aller se garer sous les pins, d'où ensuite son chauffeur s'extrayait pour venir me faire la causette et me rapporter les dernières péripéties liées à l'incroyable manie de son patron. Cette manie, c'est que Hachem Rammal ne reculait jamais. « Dans la vie, si on recule une fois, on recule toutes les fois », c'était ce qu'il ne cessait de répéter, me disait son chauffeur. C'est à ça qu'il devait son succès, et pas seulement dans les affaires ou dans les questions d'ordre domestique ou politique, pas du tout. Lorsque Hachem effendi prétendait ne pas reculer, c'était au sens littéral, et en particulier en voiture, où il avait décidé une fois pour toutes d'ignorer la marche arrière, comme si elle n'existait pas dans la boîte de vitesses. Il en avait même carrément interdit l'usage à son chauffeur, ce qui mettait celui-ci dans un embarras incroyable quand dans une ruelle étroite il se retrouvait face à une autre automobile et qu'il eût été plus facile pour lui de reculer de quelques mètres pour la laisser passer. Mais c'était impossible si son patron était avec lui, ce qui fait que s'ils avaient affaire à un entêté qui choisissait de rester des heures à l'arrêt, les choses devenaient carrément problématiques. Le chauffeur de Hachem me racontait ça en s'asseyant sur les marches du perron, à mes pieds, s'adossant parfois à la rambarde de marbre. Un jour, par exemple, me dit-il, il ramenait Rammal des entrepôts d'une usine de parpaing, à Mar Elias, chez des concurrents, quand ils tombèrent sur des camions chargés de marchandises sortant d'une allée. Rammal les fit reculer les uns après les autres, à la queue leu leu, créant une confusion monstrueuse devant l'usine. Une autre fois, en ville, à Msaytbé, ils se retrouvèrent nez à nez avec une petite Alfa Romeo dont le conducteur refusait de reculer, même si pour lui c'était plus facile : il venait d'entrer dans la rue tandis que mon collègue, de son côté, devait manœuvrer une grosse Cadillac avec ses chromes et sa gueule béante de cachalot, son mufle énorme et menaçant. Mais l'autre s'entêtait et faisait mine de ne plus vouloir bouger. Alors, comme ils étaient pressés, poursuivit le chauffeur, et qu'il y avait avec eux dans l'automobile deux gardiens des haras des Rammal, sur un signe de Hachem effendi ils mirent tous les trois pied à terre, marchèrent vers l'Alfa Romeo devant les badauds stupéfaits et, sans même permettre à son chauffeur d'en descendre, ils la soulevèrent et la déposèrent sur le trottoir. Et moi, chaque fois qu'il me contait ces anecdotes, j'ouvrais grand mes oreilles d'incrédulité, sans le montrer, le regard fixé sur le portail, en me demandant ce qui se serait passé si nous nous étions trouvés face à face. Il aurait toujours pu attendre que nous reculions, non mais ! J'en ai souvent parlé avec mon patron, alors que je le conduisais en ville. Skandar riait et confirmait que si l'homme avait réussi, c'était grâce à son tempérament inflexible. J'opinais avec prudence, j'avais en effet entendu pas mal d'histoires sur notre allié chiite, mais mon patron ajoutait avec un air réjoui que je ne savais pas tout. Je n'ignorais pourtant pas que le père de Rammal avait été un petit marchand de demi-gros, qui achetait les oranges dans la région, et que Hachem à ses débuts n'était que garçon d'écurie chez les Feraoun, ou quelque chose de ce genre. Mais il avait si bien travaillé, il aimait tant les chevaux, qu'il était devenu chef d'écurie, décidant de l'embauche et des questions de budget liées aux bêtes, à leur alimentation et à leur soin. Les Feraoun s'en remettaient à lui pour tout, si bien qu'il leur était devenu indispensable. Le père Feraoun lui aurait alors prêté une somme importante pour acheter une terre, faire construire une maison et s'installer, mais Rammal aurait utilisé cet argent à monter une petite entreprise de fabrication de parpaing, parce qu'il aurait flairé la manne qu'allait bientôt représenter l'urbanisation en route dans la région. Quoi qu'il en soit, il se mit à fabriquer du parpaing, avec l'aide de ses frères qu'il engagea dans son affaire, et comme la ville commençait à s'étendre, que Ayn Chir était gagné par la frénésie du bâtiment, à cause de l'exode rural, il fit rapidement fortune. Il se lança ensuite dans la fabrication des tuiles, puis acheta une concession de marques de peinture en bâtiment et mobilisa autour de lui les membres du clan Rammal et des familles alliées.

Ce que je savais aussi, c'était que Hachem hésita beaucoup à défier le clan des Khalil, les chefs chiites les plus en vue politiquement. Sa famille rechignait à affronter ces notables et Rammal ne pouvait monter seul au front. Mais il finit par le faire, après avoir convaincu ses cousins et ses oncles, et en 1952 il joua adroitement sa partie, mena une liste électorale contre celle des Khalil et se fit élire au Parlement, avec l'aide de Noula Hayek. En 1956, il vint voir Skandar, qui avait succédé à son père, et mon patron reconduisit l'entente entre les deux clans pour les élections municipales. C'était le temps où les chefs de famille étaient seuls à se partager l'important quota échu aux chrétiens de Ayn Chir, avant l'arrivée massive des nouveaux habitants, ces migrants chrétiens des montagnes que les partis politiques noyautaient. Avec les Rammal, nous réussîmes à conserver la municipalité. Je le sais parce que j'étais déjà au service du patron. Dans la Bentley des Hayek qui servait de car de ramassage, j'allais chercher dans leurs fermes et leurs petites maisons des alentours les électeurs, qu'on encourageait parfois à coups de centaines de livres à venir faire leur devoir. J'avais les poches pleines de listes préétablies que je glissais aux vieilles femmes et aux retraités, je les aidais même parfois à les mettre dans l'enveloppe et à la cacheter, puis j'attendais à la sortie. J'avais un revolver dans la boîte à gants et des fusils dans le coffre de l'élégante automobile avec laquelle j'arpentais les bureaux de vote et les routes de Ayn Chir, passant entre les oliveraies et les petits immeubles récents, pour assurer le plus de votes possible. Évidemment, nous gagnâmes, Rammal vint ici, cependant que nos partisans tiraient des coups de feu en l'air, que le jardin était noir de monde, que le salon où il entra était transformé en vulgaire salle de banquet. Je m'en souviens comme si c'était hier. « Mais tout cela n'est rien, me disait mon patron, à côté de l'essentiel concernant les Rammal », et il riait, jusqu'au jour où il se décida à parler. Je le conduisais à Sayda. La route était longue et serpentait au gré du dessin maniéré du littoral. Skandar était assis à mes côtés, comme il le faisait souvent, me donnant des consignes, « prends à gauche, attention à ce camion », me parlant comme à un ami, me demandant mon avis sur les choses de la vie, et riant de mes réponses. Ce jour-là, donc, il me raconta l'histoire des Rammal. Je savais que Hachem avait trois filles, et un garçon, prénommé Hassan. Ce dernier, je le connaissais un peu, je connaissais son visage d'ange, ses manières raffinées quand il montait les marches du perron des Hayek. Je le croisai une fois sur une route de Ayn Chir, il était à cheval, accompagné de deux ou trois cavaliers. Je savais que les chevaux étaient sa passion, et que, pour le reste, il n'aimait rien hormis la poésie. Cela faisait enrager son père, qui n'y pouvait rien mais qui en revanche voyait s'étendre les ambitions de Rabbah, son neveu, en qui il pressentait un putschiste en puissance. Ce Rabbah avait fondé un club sportif, il en tirait des bénéfices en popularité, alors que Hassan, le fils de Hachem, s'occupait de ses chevaux. Puis Hassan finit par se marier, à une fille de Borj Brajneh, aimable, jeune et timide, de qui les Rammal attendaient qu'elle leur donne l'héritier qui limiterait, ne serait-ce que par sa venue au monde, les ambitions de plus en plus affichées de Rabbah. Or il n'y eut pas d'héritier la première année, ni la deuxième, ni la troisième, et Hassan semblait n'en avoir cure. Il partait des semaines en Syrie et en Irak pour acheter des chevaux, s'acoquinait avec les maquignons et les chefs bédouins qui étaient ses fournisseurs, transcrivait sur des cahiers des poèmes bédouins dans le désir manifeste d'en publier un recueil. Il poussa ses voyages jusqu'à Kerbala et en revint avec une sorte d'accès mystique et l'envie de fêter en grande pompe le deuil de l'Achoura, ce à quoi son père fut sensible mais pas au point de le voir négliger ses devoirs conjugaux et ses obligations envers son clan. Il y eut des discussions, des cris, des disputes, au terme desquels Hachem enferma son fils dans sa maison avec sa femme, mit des gardes pour empêcher le couple de sortir, et cela devait durer jusqu'à la grossesse de la bru. Au bout de quelques semaines de cette réclusion, la jeune femme annonça qu'elle était enceinte, et tout l'ouest de Ayn Chir fut en émoi. Cette histoire, je la connaissais, « sauf que tu es naïf, me dit mon patron ce jour-là, sur la route de Sayda, tu as pris pour argent comptant cette absurde légende de réclusion, comme si tu ne connaissais pas le tempérament de Hassan. Il serait sorti par les fenêtres, par les égouts, il aurait creusé des galeries sous la terre pour fuir et aller rejoindre ses amants bédouins et ses chers maquignons. Mais oui, ajouta-t-il, il cache bien son jeu, Hassan, avec ses airs virils, ses cavalcades sur les chemins de Ayn Chir, avec ses bottes et ses pantalons bouffants et aussi son envie de se flageller à Achoura, avec les confréries des Khansa de Ghbeiré.

Chez nous, il faut se tortiller comme une femme et parler avec une voix traînante pour être taxé de pédé, sinon, on ne voit rien ». Et personne n'avait rien vu, en effet, sauf Hachem, évidemment, et Hachem finit par décider de régler les choses de manière radicale. Il enferma donc soi-disant les époux sous surveillance, avant de venir voir sa bru. Hassan n'était pas là et Hachem le savait, cela entrait même dans ses calculs. Il invita sa bru à s'asseoir et il lui parla, lui faisant comprendre qu'elle était dans le pétrin, que Hassan ne lui ferait probablement pas d'enfant, mais qu'elle ne pouvait rester à attendre, que c'était elle qui passerait pour infertile, que ce serait catastrophique dans le cas où elle devrait songer à un divorce, et que de toute façon un divorce était une calamité pour les femmes, que le sien paraîtrait inexplicable, et que la meilleure solution était de résoudre le problème sans sortir du cercle restreint de la famille, que si Hassan ne voulait pas lui donner un enfant il y avait quand même un moyen que les Rammal aient un héritier de leur propre sang. Sur quoi il se tut, et mon patron aussi le jour où il me raconta cela.

« Et alors, patron, dis-je, il a été chercher les cousins, c'est ça ?

– Idiot, me répondit le patron. Les cousins, tu trouves que c'est le même sang, toi ? Et tu crois vraiment que Hachem aurait ainsi livré sa bru à Rabbah, dont il se méfiait comme de la peste et dont il aurait de ce fait légitimé les ambitions ?

– Il avait d'autres neveux ? demandai-je.

– Mais est-ce que ça correspond au profil de Hachem Rammal, répliqua brusquement mon patron, d'aller quémander la semence des fils de ses frères, de ces petits jeunes qu'il méprisait !

– Mais alors ? dis-je.

– Alors, réfléchis, ne sois pas naïf », insista le patron.

Mais j'eus beau réfléchir, je ne voyais pas, sauf une chose, une seule chose, impensable. Mon patron se taisait, nous roulions sur la route qui serpentait le long de la mer ouverte comme un grand livre.

« Vous n'allez pas me dire qu'il a lui-même… ? » hésitai-je.

Skandar se taisait, il me laissait le soin de formuler la chose.

« Vous n'allez pas me dire qu'il a lui-même fait le travail ? »

Mon patron m'observa, puis il opina, et devant ma stupeur il éclata de rire, me traita d'âme généreuse et bonne, et naïve. Mais le fait est qu'après cette révélation je ne regardai plus le vieux Rammal de la même manière, il devint comme une figure mythologique, un personnage de conte fantastique. J'avais l'impression de vivre sur un autre plan de la réalité que lui. Quand il descendait de sa voiture et montait les marches du perron, quand nous allions à la chasse avec lui, quand je voyais mon patron rire en sa compagnie, et plaisanter comme si de rien n'était, j'avais le sentiment d'avoir affaire à une sorte de monstre qui au contact des hommes s'adoucit, cache sa vraie nature. Sauf qu'il était vraiment doux et bon, ce Rammal. Parfois, quand il venait jouer aux cartes chez mes patrons et qu'apparemment il avait gagné gros, il me glissait plusieurs billets dans la poche en passant devant moi pour redescendre les marches vers sa voiture, dans la cohue des convives quittant la soirée. Je me fis à cette idée, et sa folie ne se remettait à me travailler que lorsque je voyais le petit Raad, le fils de Hassan qui était en fait son frère. Mais je le voyais peu. Il nous accompagna un jour à la chasse, avec son père et son grand-père, c'est-à-dire avec ses deux pères – et c'était bien ce défi absurde aux catégories reconnues qui me torturait. Ce garçon aimable, presque blond, aux yeux verts, et qui maniait déjà le fusil et aimait suivre les chiens de chasse, je l'observais et je manipulais mentalement les relations monstrueuses qui servaient à le définir, frère de son père, fils de son grand-père, cela me donnait des frissons, comme lorsqu'on écoute une histoire de djinns et de sorciers. Mais je devais en réalité reconnaître que Raad était comme tout le monde, et même mieux, il tirait plus adroitement que beaucoup, avait des airs rêveurs dont il sortait par un raisonnement très juste et qui faisait l'admiration des adultes et la mienne. Mais moi je restais en arrière et me taisais, et en même temps je me demandais qui savait la vérité parmi les chefs de famille présents à ces parties de chasse, lequel d'entre eux l'avait rapportée à mon patron et si le garçon lui-même en avait conscience, lui qui vivait entre son père et son grand-père avec un naturel extrême et sans gêne particulière – avant que je comprenne qu'il était en train de devenir celui que n'avait pas été son père, c'est-à-dire le futur héritier de la branche aînée des Rammal. Sauf que Raad était encore imberbe, posait parfois des questions juvéniles à ses aînés et riait comme un enfant aux blagues salaces que faisait le vieux Ghosn ou Habib Henein durant les repas au pied des chênes verts ou des arbousiers du mont Hermon. Je le regardais comme un de ces jeunes héros issus d'épousailles tordues entre les dieux et les mortelles, ou comme cet Adonis dont on nous racontait à l'école qu'il était beau et qu'il mourut lors d'une partie de chasse sur les bords d'un torrent, victime de la jalousie de divinités trop puissantes. Peut-être pensais-je à cela parce que son oncle Rabbah qui était aussi son cousin observait attentivement ce rejeton inattendu. Et je crois que c'est pour l'en protéger que le garçon était sans arrêt soumis à des rituels, il portait des mains de Fatma en sautoir, des grains turquoise au poignet, et l'encens fumait au-dessus de sa tête blonde chaque fois que l'on craignait le mauvais œil posé sur lui. Finalement, Hachem Rammal mourut avant d'avoir fait de son petit-fils qui était son fils un homme véritable, et avant de l'avoir explicitement investi de la tâche de prendre en main les rênes et les destinées de la famille. Le petit dieu imberbe marcha dans le cortège funèbre, derrière le cercueil, à côté de son père qui était son frère, et à partir de là les choses devinrent incontrôlables au sein du clan Rammal. Un mois après, la mère du jeune garçon vint chez le patron. Je vis subitement avancer dans l'allée la grande DeSoto blanche. C'était étrange de la voir encore en fonction, qu'elle n'ait pas été enterrée avec le mort, comme on le faisait paraît-il pour les chevaux des rois anciens. Il y avait aussi le chauffeur, celui qui me racontait les histoires de marches arrière interdites. Il se gara comme toujours devant le perron où je me tenais, et c'est la femme de Hassan qui descendit de l'automobile. Elle était belle, tout en noir, sur la tête un long voile blanc dont les pans étaient rejetés de part et d'autre de ses épaules, sans fard ni bijoux. Elle passa devant moi en marmonnant un salut, et moi je me levai, bien sûr, puis elle disparut dans la maison, accueillie par Marie, tandis que mon patron arrivait de l'usine, et lorsqu'elle sortit elle avait annoncé à Skandar que Raad allait partir pour l'Angleterre faire des études. Entre-temps Hassan prit les rênes de la famille et de ses affaires. Sauf que Hassan, comme c'était prévisible, n'avait qu'une idée, c'était de s'occuper de sa poésie et de ses chevaux. La suite fut donc conforme à ce que l'on voit souvent dans les grandes familles : l'héritier laisse les choses entre les mains de ses contremaîtres et de ses fondés de pouvoir, la faillite guette, la femme, la mère interviennent, se montrent dures et efficaces, redressent la situation pour un temps, mais pour un temps seulement parce que les autres hommes du clan, oncles ou beaux-frères, viennent bientôt s'en mêler, ne voyant pas d'un bon œil la fortune familiale gérée par des intruses. Ces dernières, femme et mère de l'héritier, en prennent ombrage et se défendent farouchement, l'héritier se trouve pris dans des guerres intestines dont il n'a cure, comme les rois fainéants, et généralement la chose tourne à la déconfiture, faillite, dettes, procès et ruine définitive de tout le monde. Sauf qu'ici, c'était compter sans le petit Raad, qui ce faisant avait grandi et fut rappelé par sa grand-mère qui n'était en rien sa grand-mère. Pour rendre la chose acceptable, on prétendit qu'il avait fait des études de gestion d'entreprise à Londres et pouvait reprendre les affaires sous la férule de son père – le secret espoir étant qu'il évincerait vite ce dernier. Et il revint en effet, sans que nul sût jamais s'il avait fait des études ou pas.

Ce qui est sûr en revanche, c'est que le personnage montra autant d'aptitude à reprendre les choses en main que de violence dans ses actes. Le garçon que j'avais observé lors des parties de chasse avait toujours un visage d'ange, mais quelque chose en lui ne tournait pas rond. On pouvait le deviner à son regard distant et ironique et à son sourire, qui était davantage une grimace tranchant avec la beauté de ses traits et le vert de ses yeux. À cet air inquiétant s'ajouta la haine que le jeune homme manifesta très vite à l'égard des siens. Il semblait en vouloir à son père d'être ce qu'il était, raffiné, maniéré et mou, à sa mère d'avoir fait de lui un être à l'identité floue. Il vouait au souvenir de son grand-père défunt une détestation plus grande que toutes les autres, qu'il reporta sur celle qui n'était sa grand-mère qu'officiellement, c'est-à-dire la femme du vieux Hachem. Cette dernière pendant des années porta le deuil de son mari et fit la guerre à ses beaux-frères depuis chez elle, assise dans son canapé, un châle blanc sur les cheveux et les épaules, l'air éploré. C'est ainsi qu'elle reçut un jour mon patron pour lui conter les horreurs que commettait son petit-fils après qu'elle l'eut appelé à son secours, et elle disait « mon petit-fils », me raconta le patron, comme si elle disait « le diable », pas seulement parce qu'il n'était pas son petit-fils mais aussi parce qu'il était en train de faire des choses scandaleuses. Elle lui parla de la reprise en main des entreprises, des licenciements, de la manière dont les oncles et les beaux-frères avaient été écartés, à coups de menaces et de chantage, de l'éviction de Hassan de la fabrique de tuiles (« tu te rends compte, Skandar beyk, dit-elle, le père mis à la porte par son fils ! », et en disant « père » et « fils » je ne sais pas quelle mimique elle fit), de son comportement de voyou qui ne se déplaçait pas sans ses gardes du corps, des ouvriers et des membres pauvres du clan Rammal qu'il fidélisait en les aidant financièrement. Les autres branches de la famille, et aussi les Khalil, les éternels rivaux chiites des Rammal, furent laminés. Raad réussit à mettre la main sur le club sportif en chassant Rabbah de la direction par des méthodes peu louables, et gagna à sa cause plusieurs familles peu nanties traditionnellement acquises aux Khalil, les circonvenant, prenant comme contremaîtres dans ses entrepôts certains de leurs membres et obtenant pour eux des services pas très légaux de la part de membres de la municipalité qui le craignaient.

Face à tout cela, mon patron aurait dû s'inquiéter. Mais en fait une seule chose comptait à ses yeux, c'était que Raad ne remît pas en question l'alliance avec les chrétiens de Ayn Chir, c'est-à-dire avec les Hayek, et qu'ainsi soit sauvegardée l'unité de la municipalité. La sécession de la partie Ouest et la création d'une municipalité autonome propre aux chiites étaient une vieille antienne. Elle revenait à l'approche de chaque élection législative ou municipale et inquiétait les Hayek et leurs alliés. Depuis la fin des années cinquante, ceux-ci voyaient leur pouvoir contesté par les partis politiques chrétiens, qui séduisaient les petites gens de Ayn Chir, les coiffeurs, les épiciers, et lorgnaient sérieusement les affaires municipales. Du coup, pour les Hayek, l'alliance avec les chiites, qui ne votaient presque jamais pour les Kataëb ou pour les partisans de l'ancien président Chamoun, apparaissait comme l'unique façon d'empêcher la mainmise de ces derniers sur la municipalité. C'était l'une des principales raisons des excellentes relations de mon patron avec les Rammal, qui, de leur côté, empêchaient ainsi leurs rivaux du clan Khalil de reprendre le pas sur eux. On comprend donc la satisfaction du patron devant les dispositions de Raad Rammal à ne pas remettre en cause les vieilles amitiés. Raad marchait d'ailleurs maintenant sur les terres mêmes des Khalil, à force de donner de l'argent, de rendre des services, d'effrayer et de menacer. Il brouillait les cartes, c'était un vrai diable, porté par sa fougue et sa détestation, qui en définitive, je l'ai compris plus tard, n'était que pure détestation de lui-même. Et, tout cela, le patron le regardait d'un très bon œil, malgré ce qu'il montrait à la vieille veuve. L'affliction qu'il simulait lorsqu'il allait la voir n'était que pure comédie et Skandar me fit comprendre à mots couverts que Raad, quant à lui, tenait d'autant plus à son alliance avec nous qu'il était persuadé qu'elle le ferait entrer au Parlement, étant donné qu'une candidature pour le siège chiite de la circonscription aux côtés des candidats chrétiens des clans Hayek et Ghosn était généralement une garantie de succès. Je ne sais si le patron se garda de détromper le jeune homme parce qu'il avait besoin de lui, ou s'il comptait effectivement lui faire ce cadeau en échange de son soutien sur le plan municipal. Moi, à vrai dire, au début, je me méfiais de ce garçon, même si je ne l'approchais que rarement. Je le vis une ou deux fois arriver dans une Oldsmobile dont le conducteur restait ensuite à l'écart, sans venir me parler ni se tenir un instant à mes côtés sur le perron. C'est là que je découvris que Raad était encore plus beau que durant son adolescence, vêtu de pantalons très décontractés, en pull-overs de couleur sur des chemises à col ouvert, très anglais de style. Rien ne pouvait laisser penser qu'il était ce chef un peu voyou qu'on disait, n'était cette lueur de détraqué qui luisait par moments imperceptiblement dans ses yeux. N'était aussi cette manière qu'il avait de passer près de moi, sans esquisser un geste, sans un regard dans ma direction, avec une indifférence frôlant le mépris. Je ne bougeais pas non plus, il disparaissait avec Skandar Hayek, et quand il ressortait mon patron l'accompagnait jusqu'en haut des quelques marches et attendait ensuite que l'Oldsmobile ait franchi le portail, ce qui m'agaçait parce que c'était de sa part le signe d'une grande considération à l'égard du jeune notable.

7

La façon qu'avait ce personnage de m'ignorer me mettait en rogne, et cela dura jusqu'à ce fameux soir où des rôdeurs tentèrent de voler les chevaux de nos voisins Kheir. L'alerte fut donnée en pleine nuit. La soirée avait tardé à s'achever chez les patrons, et j'aidais Jamilé et les bonnes à mettre de l'ordre dans les salons et à les aérer, tant ils sentaient le cigare et le tabac. J'étais en train de tirer des rideaux pour ouvrir une porte-fenêtre lorsque le téléphone sonna. « Sans doute un convive qui a oublié quelque chose en partant », marmonna Jamilé. C'était le palefrenier des Kheir qui annonçait qu'en arrivant chez lui, à l'issue de la soirée chez les Hayek, son patron avait aperçu dans les rets de ses phares un de ses propres chevaux qui avait aussitôt disparu dans les orangers sur le bas-côté. Les autres étaient aussi probablement dans les vergers. Le tocsin sonnant dans les principales maisons de la région, ce fut le branle-bas. On partit de chez les Kheir, les Henein, les Ghosn, et aussi de chez les Khalil, les Kanj et les Rammal, et toute la nuit les vergers de Ayn Chir furent illuminés par les lampes torches et les phares des automobiles, tandis que les cris de ralliement s'élevaient de tous côtés. Après que notre voiture se fut montrée incapable de pénétrer sous les arbres, nous fûmes embarqués, Skandar beyk et moi, dans une vieille Jeep que conduisait Georges Ghosn et avec laquelle nous nous enfonçâmes dans les jardins d'orangers, où je n'étais jamais allé la nuit. Les branches basses battaient contre le pare-brise puis nous balayaient violemment la tête. Un groupe d'hommes armés de fusils de chasse et de lampes torches nous arrêta pour nous informer que les rôdeurs étaient signalés dans le coin. Sur un ordre du patron, je me mis à leur disposition. J'avais mon revolver à la ceinture, et j'avançai à leurs côtés jusqu'au moment où nous entendîmes des éclats de voix derrière nous, puis des bruits de galop. Nous nous dispersâmes, et je me retrouvai seul, avant d'être rejoint par des cavaliers à qui j'emboîtai le pas, guidé par la beauté lumineuse de la robe de l'un de leurs chevaux, qui brillait dans l'obscurité. L'intense ramure des arbres masquait le ciel, tandis que s'élevait parfois le hululement lugubre d'une hyène. Soudain il y eut un boucan du diable et un cavalier passa près de moi en bondissant. Sûr que c'était un des rôdeurs je poussai un cri de sommation, mais il était déjà loin. D'autres jaillirent qui le poursuivaient, qui me dépassèrent et me laissèrent en plan. À nouveau seul, je compris cette nuit-là le sentiment de supériorité que peuvent avoir les cavaliers par rapport aux fantassins. J'étais un peu humilié d'aller à pied, je n'avais pas de lampe, seulement mon revolver que j'empoignai, marchant prudemment dans les sillons durcis, enjambant les rigoles d'arrosage, sentant contre mon visage les griffures des branches et l'humidité des feuilles. Des fruits brillaient étrangement dans la nuit et il y avait des froissements dans les arbres, sans doute ceux que faisaient les oranges, les citrons et les pamplemousses en se détachant et en chutant. Les hululements reprirent et pendant un temps qui me parut interminable je n'entendis plus de voix, ni de cris, ni de coups de feu. Je me redressai parce que j'en avais assez de marcher courbé sous les branches lorsque subitement il y eut dans mon dos un chuintement, puis le bruit d'une respiration forte. Un clapotement de sabots se rapprocha et un cavalier sortit de l'obscurité. Je ne pus distinguer son visage, il s'approcha encore, je tâtai mon revolver et je reconnus Raad Rammal.

Il me demanda si j'étais seul, si j'étais perdu. Je répondis que oui, j'étais perdu. Il avait son visage d'ange, malgré un air soucieux, il me fixa distraitement avant de me tendre la main en disant : « Monte derrière moi. » Je rangeai mon arme, saisis son poignet puis, aidé par sa puissante musculature, j'enfourchai le cheval et m'installai derrière lui. Nous partîmes, au pas, évitant les ramures trop basses des arbres. Il dit qu'aller ainsi dans les vergers n'était pas commode. J'opinai, prêt à entamer une discussion, mais il ne parla plus, et je fis de même. J'avais les mains ballantes, je serrais les genoux contre la bête tout en maudissant le sort d'avoir été ramassé piteusement par ce jeune homme qui ne me saluait pas, mais qui était pour moi une énigme fascinante, un être quasi mythologique. Il semblait pensif, nous allions toujours au pas, en silence, parmi les milliers et les milliers d'orangers. Je craignis même que nous nous soyons perdus quand soudain je sentis un appel d'air, et je compris que la lisière des vergers n'était plus très loin. Puis je la respirai avant d'en entendre le délicat murmure. Malgré moi, je chuchotai : « La mer. » À ce moment il réagit, comme si je le tirais d'un songe. Il dit : « Oui, on y est. » Tous les rabatteurs étaient réunis là, je perçus distinctement leurs voix, puis des hennissements. Mais à l'instant où nous sortions d'entre les arbres quelque chose fusa devant nous et fila droit. « Agrippe-toi ! » cria Raad à mon intention, et avant que j'aie pu réagir, le saisissant précipitamment à la taille, il fit bondir sa monture. Mon dos en prit un coup, je crus que j'allais être renversé, mais non, nous allions déjà au galop, à la poursuite d'un cheval qui se précipitait vers la mer. En quelques secondes nous étions sur la plage, soulevant le sable sous nos sabots comme faisait la bête devant nous. Celle-ci pataugea dans les premières vaguelettes, galopant allègrement, entra dans la mer puis ralentit tandis qu'à notre tour nous entrions dans l'eau, balançant de toute part des gerbes liquides qui nous éclaboussaient le visage et le corps. La mer était une grande nappe noire, une toison ténébreuse dans laquelle nous progressions laborieusement. L'eau pénétra dans mes chaussures, j'en avais jusqu'aux genoux, Raad fit aller sa monture de biais, pour s'assurer qu'elle avait pied. Le cheval en fuite, de son côté, hésitait, puis nous le vîmes revenir sur ses pas. Raad se retourna légèrement et me demanda si tout allait bien. Je répondis : « Et comment ! » Il rit et fit aller de nouveau, mais lentement. Nous nous approchâmes du cheval, qui s'immobilisa. Raad me demanda si je savais monter. Je dis : « Oui, bien sûr », ce qui n'était pas tout à fait vrai, et surtout pas à cru, comme ça, dans la mer, en pleine nuit. Mais je ne voulais pas perdre la face, être encore à ses yeux le pauvre fantassin ramassé sur le bord du chemin, si bien que lorsqu'il réussit à mettre les deux chevaux flanc contre flanc je bondis et j'enfourchai l'autre bête. Je me baissai en l'agrippant par le cou pour lui parler à l'oreille, sans savoir ce que je murmurais, puis je me redressai prudemment, j'empoignai délicatement sa crinière, et je serrai les genoux dans la crainte d'un mouvement inconsidéré de sa part. Quand, au bout d'une minute, nous sortîmes de l'eau, quand enfin nous retrouvâmes le sable sec de la plage, je montais fièrement le cheval aux côtés de Raad, et nous nous dirigeâmes ainsi côte à côte vers les voitures, vers les rabatteurs et les autres montures rattrapées durant la soirée. Lorsqu'on m'aida à mettre pied à terre, Raad me fit un salut viril, et dès cet instant je ne cessai plus de penser à lui avec sympathie, et avec un sentiment de solidarité et de complicité, même si je savais que pour lui je n'avais été qu'un comparse d'une nuit, et me demandant même parfois s'il avait su qui j'étais, s'il avait reconnu celui qu'il avait pris en croupe, étant donné que c'était la nuit, qu'il avait l'air rêveur et distrait, que j'avais passé presque tout le temps assis dans son dos et qu'il me parlait par-dessus son épaule. Mais, tout de même, nous avions fait ce bout de chemin pour sortir de la mer côte à côte, il m'avait forcément reconnu, comme tout le monde, comme le vieux Kheir qui m'envoya une petite récompense le lendemain et comme le patron qui me reparla avec admiration de la capture durant les semaines suivantes. Mais Raad, je ne le revis plus. J'entendis encore parler de lui, évidemment, et j'avais du mal à croire tout ce que l'on continuait à rapporter sur son compte, qu'il levait les femmes à tour de bras, qu'il avait instauré un droit de cuissage puis qu'il avait été surpris en flagrant délit avec la femme de Jamil, de la branche cadette des Khalil et son plus proche soutien. Je songeai ce jour-là que Raad attendait quelque chose, qu'il provoquait son monde dans le but d'en finir. Je le dis au patron qui me demanda avec brusquerie d'être plus clair, comme s'il avait les mêmes soupçons que moi mais n'aimât pas les entendre formuler, à la manière du superstitieux qui craint de prononcer le nom d'une maladie de peur de l'attraper. Je ne développai pas mon idée, pas plus que je n'accordai d'attention, quelques semaines plus tard, à la fusillade qui éclata une nuit, au loin. Je me retournai juste dans mon lit, persuadé qu'il s'agissait de rôdeurs, ou de renards que l'on chassait, bien qu'ayant clairement distingué dans mon demi-sommeil que ce n'était pas le bruit mat et sourd de coups de fusil mais bien les claquements plus secs et plus sonores de fusils-mitrailleurs et de revolvers. Et je ne fus pas étonné le lendemain matin d'entendre Jamilé me demander si je savais ce qui s'était passé durant la nuit, puis m'annoncer que le patron était parti sans moi chez les Rammal, parce que Raad avait été assassiné. « Ils lui ont tendu une embuscade », ajouta-t-elle. « Qui ? » demandai-je. « Les amis de Jamil Khalil », répondit-elle. « Et voilà, dis-je par-devers moi, c'est bien ce que je craignais. » Elle voulut savoir ce que j'insinuais, mais je n'avais pas envie de le lui expliquer, je marmonnai des propos incompréhensibles, ce qui avait le don de l'agacer, elle avait toujours l'impression que je lui cachais le fruit de mes réflexions, que je ne la prenais pas assez au sérieux pour l'exprimer devant elle, et c'est elle qui se mit à marmonner en soulevant l'énorme corbeille à linge qu'elle emportait sur le toit, bientôt suivie des autres bonnes en procession, me laissant à mes pensées soudain mélancoliques.

8

La pierre de l'affûteur tournait toujours, ainsi que le monde autour de la maison, de ses jardins, de ses orangeraies. C'était une autre époque, où le vent soulevait les draps mis à sécher sur les toits, où l'on aérait les tapis en les jetant sur les rambardes de la terrasse et sur les plates-bandes, où l'on faisait son eau de fleurs d'oranger soi-même dans le garage et où le marchand de journaux arrivait à vélo, comme le facteur, avec son chargement de paperasse imprimée, de magazines et de journaux. Je le revois comme si c'était hier, celui-là, il entrait par le portail en face de moi, arrivait lourdement devant le perron en tanguant dangereusement, puis, tout en mettant un seul pied à terre et en me lançant un salut, au lieu de me tendre les quotidiens il les balançait ostensiblement à mes pieds, sur la première marche, comme il devait le faire sur les paillassons des appartements. Il m'énervait parce que je devais me lever et me pencher pour les ramasser. Je lui en faisais la remarque, je lui disais qu'il m'agaçait, que j'allais finir par lui mettre mon poing sur la gueule, mais il me répondait que je n'avais qu'à me bouger, ce n'était pas à lui de désenfourcher son vélo pour mes beaux yeux, avec tout ce qu'il transportait, et nous avons passé vingt ans dans cette petite guéguerre.

Mais il n'y avait pas que des vélos qui entraient et sortaient le matin, celui du poissonnier et celui du marchand de journaux. Il y avait aussi la moto de Hareth, le cadet des enfants Hayek. Hareth aimait les motos autant que les chevaux et me disait que c'était à peu près la même chose. Il me disait parfois qu'avec les chevaux, c'est une autre dimension de la vie qui est vécue, on va plus lentement, mais on a l'espace à sa disposition. « Quand tu es dans une voiture, ajoutait-il debout devant moi, sur les marches du perron, il te faut une route, ton itinéraire est en quelque sorte tracé d'avance, alors qu'à cheval, c'est toi qui décides du lieu où tu veux aller et tu peux aller partout. » Je trouvais qu'il n'avait pas tort, même si un jour je le fis rire en lui rétorquant que, dans ce cas, il valait mieux aller à dos de mulet, comme nos ancêtres, puisque les mulets, par exemple, accèdent à des lieux escarpés où le cheval même ne va pas. Lorsqu'il devint adulte, il acheta une grosse cylindrée sur laquelle il entrait dans le jardin, le casque sanglé à son menton et de gros gants de cuir aux mains. Il ressemblait à un être mythique, à quelque sagittaire mi-cheval mi-humain, et je tenais à attendre qu'il ait mis pied à terre, calé l'engin, enlevé le casque, secoué sa crinière, que la créature inquiétante jaillie soudain toute tonitruante et qui s'était approchée trop près du porche redevînt le garçon que j'aimais, pour fermer les yeux et sentir à nouveau le soleil sur mon visage, tout en conservant pendant un instant l'image de ce jeune homme amoureux d'espace et de liberté. Son aîné, Noula, en revanche, était un citadin invétéré, il enviait les motos de son frère mais n'allait qu'en voiture, et n'aimait que les petites, les sportives, les joliment dessinées, avec lesquelles il épatait ses conquêtes féminines. Quant au cheval, il n'en faisait que pour la galerie, il faisait tout pour la galerie, il emmenait même parfois les femmes qu'il courtisait visiter l'usine, il les promenait au milieu de l'assourdissant tac-tac des machines, dans la chaleur et l'odeur de teinturerie, comme un commandant de bord promène les passagères huppées d'un paquebot dans la salle des moteurs, sous le regard curieux et amusé des mécaniciens qui voient passer en souriant ces formes de rêve au milieu de leur antre infernal. Ensuite, j'en mettrais ma main au feu, il devait proposer à ses conquêtes un flirt clandestin dans un recoin sombre, fleurant le mazout, leurs escarpins à talons souillés par la boue gluante et leur cœur frémissant à cause de la proximité dangereuse des ouvriers. Mais généralement c'était en ville que Noula avait ses « affaires », comme il disait, et il en eut tant, il eut aussi tant d'ennuis, il dut si souvent fuir et se cacher, ou affronter la colère de pères soucieux de l'honneur de leur fille ou de maris trompés, que Skandar finit par décider de le contraindre à se marier. On lui destina une jeune fille d'Égypte, que ses parents, originaires du Liban, envoyaient souvent passer ses vacances à Beyrouth. Les familles étaient amies, le père de la promise était un négociant en coton d'Alexandrie. Noula la vit, elle le tenta, on sauta sur l'occasion et on les fiança. Mais durant l'été qui précéda les noces il se rebiffa, saisi par cette impression qu'ont tous les coureurs qu'il allait perdre sa liberté. Il recommença alors à s'afficher avec d'autres femmes, s'attardant dans les boîtes de nuit et les cabarets, et poussa la provocation, quelques semaines avant son mariage, jusqu'à courtiser simultanément, mais à l'insu de l'une comme de l'autre, les filles jumelles de Farid Mahjoub, un médecin d'Achrafieh. Elles se ressemblaient tant qu'un soir, lors de l'un des dîners innombrables qui précédaient ses épousailles et où il était un peu ivre, il appela Janine « Lamia chérie », à moins qu'il n'appelât Lamia « Janine chérie », et ne se rendit compte de rien, ou bien il s'en rendit parfaitement compte et attendit le scandale. Mais le scandale ne vint pas. Alors il en rajouta. Une nuit, il alla clandestinement chez les Mahjoub. Lamia lui avait donné rendez-vous, à moins que ce ne fût Janine, il ne savait plus très bien. Il pénétra dans la propriété en sautant par-dessus le mur et ses grands rosiers, entra ensuite discrètement dans la maison dont la porte lui était ouverte, comme le lui avait promis Lamia, à moins que ce ne fût Janine. Mais c'était un piège qu'elles lui tendaient toutes les deux de concert. Il ne faut jamais se mettre avec un jumeau contre l'autre, il vous abandonnera aussitôt pour rejoindre son frère et ils se retourneront tous les deux contre vous. Trompées, les deux sœurs au lieu de s'en vouloir se réconcilièrent, d'autant plus que l'outrage qui leur avait été fait était grand. Au moment donc où Noula se retrouvait au milieu du salon qu'il traversait dans l'obscurité, la lumière tomba du plafond comme les projecteurs qui surprennent un fugitif, et deux ou trois hommes avec des bâtons apparurent parmi les meubles, les crédences, les fauteuils de style, et, sous le regard du docteur Mahjoub, immobile, imperturbable, les mains dans les poches de sa robe de chambre, donnèrent une sévère raclée au fils de mon patron à la veille de son mariage, lequel fut ajourné sans explications. Hareth me confia sa conviction que, tout cela, son frère l'avait voulu, l'avait quasiment monté, manipulant lui-même les jumelles qui croyaient le manipuler. Noula devait penser que le scandale serait tel que le clan des Égyptiens abandonnerait son projet d'alliance. Sauf que le docteur Mahjoub, qui avait des intérêts avec mon patron, accepta de ne rien révéler de l'affaire, qui de toute façon aurait nui à la réputation de ses filles. Le mariage ne fut pas annulé mais retardé, le temps que les ecchymoses de Noula s'effacent.

Moi, à vrai dire, je n'ai jamais aimé le fils aîné des patrons, et il me le rendait bien. Il avait d'ailleurs décidé de m'appeler Abou Youssef, pour éviter d'avoir à m'appeler Noula. Il prétendait qu'il ne pouvait s'entendre prononcer à voix haute son propre prénom, ça lui faisait bizarre. Puis il s'est mis à m'appeler Requin-à-l'arak, ce qui dans sa bouche m'agaçait parce que nous n'étions pas intimes comme je l'étais avec son frère Hareth, par exemple. Hareth était tout l'inverse de Noula. Ses passions le faisaient regarder ailleurs, au loin, et lorsqu'il ramenait son regard sur l'ici et le maintenant il était aimable, comme avec des gens dont il était affligé de voir qu'ils n'ont pas de rêves d'espace et d'aventures et acceptent de moisir dans un même lieu leur vie durant. Hareth lisait des atlas et des encyclopédies et quand il relevait les yeux il avait devant lui le domaine, toujours le domaine, le jardin, toujours le jardin, les eucalyptus et les pins, le linge sur le toit, le cordonnier qui passait ses matinées au milieu des rangées de chaussures de la maison qu'il réparait en chantant. Je le vis une fois s'arrêter et contempler longuement ce cordonnier qui avait des clous dans la bouche et qui chantait en bougeant à peine les lèvres, ce qui donnait à son chant une allure de pénible mélopée. Je me demande ce qu'il en pensait, Hareth, s'il admirait cette capacité à rester accroupi pendant des heures avec pour tout horizon des dizaines de paires de chaussures, ou s'il la déplorait et essayait de pénétrer le mystère qui fait qu'un homme arrive à supporter sa condition grâce à une languissante chanson. Après quoi il se dirigea vers l'usine et ses mastodontes mécaniques, qu'il aimait beaucoup. Il me raconta un jour avec assurance que les nouvelles machines de notre voisin Ghaleb Cassab, ce dernier les avait volées à Alep dans une usine nationalisée et les avait rapportées par camions à travers les montagnes, en contrebande, en quelque sorte. Il me parla aussi de fous qui avaient transporté des villes entières pour les reconstruire dans la forêt d'Amazonie et d'un aventurier libanais qui avait baladé un palais arabe sur des chameaux dans le désert pendant des années pour essayer de le vendre. Ces histoires le faisaient rêver, je le sentais bien, et quand parfois je regardais avec un peu plus d'attention les livres qu'il lisait je découvrais des illustrations avec des Bédouins, des Indiens, et s'il m'arrivait de lui demander pourquoi il aimait ça il riait comme si je ne pouvais pas comprendre. Cela me vexait, il s'en apercevait, et parfois il essayait de m'expliquer. Il me décrivit les aventures des conquérants du Mexique, il me dit que Napoléon avait voulu s'emparer de l'Empire ottoman depuis l'Égypte et refaire un royaume comme celui des Romains, en liant la France à la Turquie. Je le comprenais parfaitement, contrairement à ce qu'il pensait, mais je ne voyais pas en quoi ça pouvait faire rêver, sinon que ça nous aurait peut-être libérés plus tôt des Turcs. Mais quand il me répliqua, l'air réjoui, que le sultan turc qui avait conquis Byzance voulait lui aussi refaire l'Empire romain, je le trouvai bien farfelu et je ris, et c'est lui alors qui se vexa.

Il était encore jeune à ce moment, mais je continuai longtemps à lire dans ses yeux ces mêmes passions pour les histoires folles. Et son père les lisait aussi. Pourtant, c'est lui qui décida de l'envoyer en Irak lorsque les Hayek furent sollicités par un cheikh irakien qui avait remplacé une part de ses palmeraies par du coton et voulait en vendre aux industriels libanais. Hareth prit la chose au sérieux, lut la correspondance de son père avec le fournisseur potentiel, sous l'œil pénétrant de Skandar qui faisait silence autour de son fils comme lorsqu'il le voyait plongé dans des livres qu'il jugeait très compliqués. Ils discutèrent de coton et de bourse, puis ils examinèrent ensemble des cartes de l'Irak, et je crois que Hareth regardait beaucoup plus loin que l'usine et le textile, si bien que lorsqu'il partit je dis au patron que c'était une erreur, ce garçon ferait du bon travail en Irak certes, mais est-ce qu'il reviendrait, et le patron me rabroua : « Bien sûr qu'il reviendra, *ya* Noula. » Il n'empêche que j'étais triste de ne plus voir partir ou revenir le monstre mythologique, le guerrier japonais sanglé dans son casque, j'étais triste de ne plus l'admirer en train de s'extraire de cette sauvage armure pour redevenir seconde après seconde ce joli garçon rêveur et ferme, le vrai soutien de la famille, me disais-je, n'étaient ces envies d'espace, de guerres et de conquêtes imaginaires. Mais il fallait que jeunesse se passe, il était las à la fin de ce monde ancien fait de trop grandes maisons, de légions de servantes rieuses, de matelassiers battant le coton des matelas comme la neige et d'affûteurs faisant grincer leur pierre. Il partit donc et, au début, il donnait des nouvelles en appelant à l'usine. Nous n'avions que des bribes de ce qu'il disait à son père, mais Skandar beyk annonçait ensuite à sa femme, à sa sœur, à sa fille, durant les repas, que Hareth avait téléphoné et qu'il allait bien. « Il a décroché un sacré contrat », me dit-il un jour en voiture. Je marmonnai que c'était bien, mais je devais avoir l'air sombre et le patron rit : « Toi et tes idées pessimistes, Requin-à-l'arak ! Tu crois que ce garçon ne songe qu'à courir le monde. Moi aussi je le crois. Il va faire un petit tour, maintenant, c'est normal, et après il reviendra, parce qu'on revient toujours, ne t'en fais pas, on revient toujours. » Et moi je répondis que je voulais bien y croire, sauf que, évidemment, le garçon ne revint pas. Ou du moins pas dans les délais raisonnables que son père imaginait. Il s'acquitta scrupuleusement de sa tâche, il s'entendit avec les industriels liés au nouveau pouvoir irakien, il leur acheta du coton pour plusieurs années et fit de son père leur client exclusif au Liban. Comme il me le rapporta beaucoup plus tard, il se promena aussi dans Bagdad, il acheta des livres dans la rue Moutanabi, et cela me fit rire parce que chez nous la rue qui portait ce nom était celle des putes. Il passa ses soirées dans les cafés populaires du bord du Tigre, où il s'acoquina avec un ingénieur français du nom de Rivière, qui connaissait des Bédouins. L'un de ces derniers leur montra une sorte de statuette et leur parla d'un site ancien peu connu dans le désert jordanien, quelque chose qui ressemblait à Pétra et que Hareth décida d'aller découvrir avec Rivière. À ce moment, nous ne savions rien de tout cela. Il cessa d'appeler à l'usine, et il parut évident qu'il était parti d'Irak, ou bien qu'il se promenait dans le désert. Finalement, une lettre arriva. Quand le facteur entra ce jour-là, à pied, et s'arrêta sur le perron, je pensai qu'il avait soif, ce qui lui arrivait parfois. Il buvait à la régalade avant de rendre la cruche qu'on lui avait apportée et restait rêveur, adossé à la rampe de l'escalier. Ce jour-là aussi il but et demeura pensif, comme si l'eau fraîche avait cet effet singulier de le rendre nostalgique de quelque état primitif du monde où le pain et l'eau étaient ce qui suffisait pour vivre heureux, puis il se mit à causer, comme d'habitude. Il me raconta qu'il avait assisté à une bagarre en ville entre deux amoureux d'une même fille qui avaient mis les souks sens dessus dessous dans leur rage d'en découdre pour ses beaux yeux, allant d'une boutique à l'autre et s'envoyant à la figure des marchandises, terrorisant les clients, se battant à coups de rouleaux de tissu ou de tapis enroulés comme des massues, et qu'après ça les marchands, les commis et les employés les avaient pris en chasse à travers souk el-Tawilé et souk Ayass, mais qu'ils avaient disparu tous les deux, prenant de vitesse leurs poursuivants, ce qui avait achevé de mettre les marchés dans un état d'hystérie complet. Je m'intéressai évidemment à son histoire, puis, comme le temps passait, il ouvrit sa sacoche et en sortit une liasse de lettres qu'il feuilleta sans cesser de bavarder avant d'en tirer celle qu'il devait nous remettre et qui était de Hareth. Je faillis l'étrangler, comme j'avais failli le matin même faire un sort au marchand de journaux. « On attend cette lettre depuis des mois et tu es là à me débiter tes conneries ! », voilà ce que je ne pus m'empêcher de lui dire. Il prit la mouche et partit en ronchonnant et moi je constatai que les timbres sur l'enveloppe étaient irakiens, j'essayai de déchiffrer les caractères sur le tampon à moitié effacé et je compris que la lettre avait été affranchie deux mois auparavant.

Dans l'intervalle, évidemment, Hareth avait quitté l'Irak, malgré ce qu'il voulut nous faire croire lorsque, quelques semaines plus tard, il appela à la maison. Le téléphone sonna longuement de sa sonnerie rauque, trépidante, répétée, et c'est Mado qui descendit de chez elle pour répondre en maugréant contre le personnel. Quand elle décrocha, il n'y avait plus personne au bout de la ligne. Hareth rappela un peu après, sauf que cette fois Mado ne se dérangea pas, et je dus me résoudre à me lever, sans me douter que ce pouvait être lui. Quand je pris l'appel, il était trop tard. Il téléphona une troisième fois, le lendemain, mais j'étais en train de bichonner la voiture et c'est une des bonnes qui répondit. Dans son embarras, elle posa le combiné, sortit sur le perron, ne me trouva pas, et comme il n'y avait personne à proximité elle appela un garçon de course et l'envoya précipitamment à l'usine. En attendant, à travers le combiné posé sur le guéridon, Hareth dut entendre les bruits familiers de la maison et du quartier, les portes qui claquaient à cause des courants d'air, les appels du quincaillier qui s'était arrêté devant le portail, le klaxon d'un autocar américain passant sur la route, le moteur de la camionnette du teinturier venu livrer les robes et les costumes nettoyés. Je ne sais s'il en fut nostalgique, c'était trop tôt, il était à peine parti, et quand on lui parla il prétendit qu'il était encore en Irak, alors que ce n'était pas le cas, il devait déjà être à Amman, comme il me le raconta plus tard. Il arriva là-bas à la fin du mois d'août 1970, à la veille des événements, avec Rivière et avec le Bédouin qui devait leur servir de guide. La ville était sinistre, me dit-il, il y régnait une atmosphère malsaine, des rafales de mitrailleuses parfois vrillaient l'air et des Jeep bourrées de miliciens la sillonnaient en tous sens, hérissées d'armes et de lance-roquettes. Le lendemain, les combats éclatèrent et il se retrouva coincé à l'hôtel. Il logeait à l'Intercontinental, rempli de journalistes, de marchands d'armes et d'agents secrets. C'est depuis l'hôtel, me conta-t-il, qu'il assista aux détournements des avions vers l'aéroport improvisé de Mafraq, puis à leur destruction, et aux combats qui suivirent. Il écoutait la radio au milieu des attroupements d'envoyés spéciaux, tandis que sur les écrans de télévision qui grésillaient passaient des images qui n'avaient rien à voir avec les événements parce que la télévision jordanienne vivait dans le déni. Son compagnon buvait au bar ou jouait aux cartes avec des reporters britanniques pendant que lui faisait la connaissance d'un journaliste du *Monde* qui essayait d'analyser à chaud la situation et assurait avoir rencontré Nasser, le roi Hussein et Arafat. Il lui en parlait comme de vieux potes, ce qui faisait rire Hareth. Puis les choses dégénérèrent et pendant toute la seconde moitié du mois de septembre ce fut l'enfer. Il prétendit avoir été témoin de l'ultime grand brasier, de ce qu'il considéra alors, me dit-il en riant de sa bêtise, comme la dernière guerre à la manière ancienne, avec d'un côté ses tribus de Bédouins accourues au secours de leur roi et de sa monarchie menacée, et de l'autre côté les condottiere palestiniens et leurs troupes sans feu ni lieu, chassés de leurs terres comme jadis les conquistadors mais s'apprêtant à conquérir un trône à leur portée, à en extirper le détenteur afin de construire un nouvel État à partir duquel ils seraient allés semer le désordre dans tous les autres pays de la région. Plongé dans le noir, enfermé avec des journalistes babillards, consommateurs d'alcool tiède à cause des pannes de courant, coincé au milieu de Jordaniens terrifiés et des membres hagards du personnel de l'hôtel, il tentait de comprendre le déroulement des combats grâce à ses discussions avec les reporters, ou en les suivant sur les plans de la ville. Il sortait pour humer l'air de l'extérieur, qui sentait la poudre. Il avançait alors dans Chari' el-Safarat, une rue complètement déserte où parfois passaient de petits chars dont on disait que c'étaient les unités d'élite bédouines. Ou alors il montait en compagnie d'un correspondant du *New York Times* et d'un photographe français jusqu'au restaurant du dernier étage où il assista avec eux, à moitié couché entre les tables, à une bataille autour d'un immeuble en construction que les fedayin réussirent à tenir durant plusieurs jours avant d'en être délogés par un assaut de l'armée dont il ne vit rien tant tout tremblait autour d'eux, les vitres s'effondrant dans un vacarme assourdissant. Et même si tout cela l'épouvantait, même si cela n'avait pas les apparences suffisamment poétiques dont il rêvait encore, même si les chefs de tribu qui lançaient leurs hommes au secours de Hussein lui faisaient trop penser aux notables balourds qu'il avait rencontrés à Bagdad et avec qui il avait signé des contrats, même si la pureté du grand brasier épique que les chefs palestiniens cherchaient à allumer lui paraissait trop masquée par les oripeaux de leurs discours oiseux, de l'idéologie qui travestissait lourdement leur action, même si tout cela était péniblement contemporain et calamiteux parce que le passage du temps ne l'avait pas couvert de sa patine et de son lustre pour en faire un grand récit, l'ultime récit, me dit-il sans que je comprenne rien à ce qu'il me racontait, qui pût être véritablement conforme aux vieux antagonismes immémoriaux des tragédies, des grandes gestes théâtrales, tout cela malgré tout l'enthousiasmait et lui dévorait le ventre de plaisir. Si bien que, lorsque les combats s'achevèrent, il eut l'impression de sortir à moitié sonné d'une espèce de grand spectacle débridé et fou, auquel il avait assisté dans une demi-hébétude, saturé de vacarme, de cris, de conjectures, de stratégies fantasques et de projection d'avenir décrivant un monde autre, apocalyptique, chambardé mais qui, quand le calme revint, sembla lentement, désespérément, retourner à ce qu'il était quelques semaines avant, à ce qu'il avait toujours été, à ce qu'il sera toujours, pour les siècles des siècles.

9

Il partit ensuite avec son ami Rivière et son Bédouin à la recherche de ce site mystérieux dont leur parlait ce dernier, à bord d'une vieille camionnette aux banquettes défoncées. Ils errèrent dans le désert, aux limites de la frontière avec l'Arabie, dans la crainte de se voir repérés, de rencontrer des soldats, des gardes-frontières ou des fuyards palestiniens, au milieu d'immensités où se dressaient des formes fantastiques qui tantôt se paraient de teintes vermeilles et diamantines et tantôt ternissaient, et l'horizon alors devenait désespérant de rectitude. La chaleur était torride, Hareth mit un keffieh et réussit à caler la vitre de la camionnette avec un vieux chiffon, mais cela ne suffit pas. Puis l'essence vint à manquer et ils en achetèrent à prix d'or auprès de nomades, dans des oasis minables. La nuit ils couchaient à l'arrière, à même la tôle, couverts de grosses couvertures puant la chèvre et l'huile de vidange, sous le fabuleux bruissement du firmament. Ils ne trouvèrent pas le site, qui resta pour Hareth un pur fantasme, mais ils découvrirent, près d'un ouadi, sur une sorte de petite esplanade, des sépultures vides, creusées dans la roche et bordées de fausses colonnes et de figures sculptées dont les visages avaient été martelés. Là, ils dînèrent avec un groupe de Palestiniens en déroute, autour d'un feu, comme avaient dû le faire pendant des siècles en ce même lieu les pillards de tombes et les caravaniers. Dans le murmure des flammes, ces Palestiniens leur décrivirent la bataille d'Amman et la destruction de leur unité, prétendant qu'ils tenaient le sud de la capitale, ce qui expliquait qu'ils n'avaient pu rejoindre les autres divisions vaincues se repliant sur Ajloun. Le lendemain, me raconta-t-il, alors que le Bédouin faisait défection, ils acceptèrent de l'emmener avec son Français, et c'est ainsi qu'en leur compagnie les deux hommes traversèrent d'immenses espaces parsemés de touffes d'herbe sèche et le plus souvent de rien du tout. L'itinéraire n'était pas des plus sûrs. L'Arabie saoudite, dont ils franchirent l'angle nord-est en clandestins, n'était pas amie des fedayin, et toute rencontre ne pouvait qu'être mauvaise. Hareth était assis dans la cabine de l'un des camions, entre l'officier qui commandait la section et le conducteur. Il se concentrait sur la piste approximative devant lui et sur l'horizon qui la cernait de toute part. Le soleil et le tremblement de la tôle sous son corps fourbu le saoulaient et il se laissait aller à une sorte d'hébétude d'où le sortait régulièrement un choc violent, une ornière où le camion tombait et qui faisait redouter le pire. Mais le moteur tenait bon, la carlingue et les réservoirs aussi, ils mangeaient des provisions abîmées par la chaleur, buvaient de l'eau bouillante et ne trouvaient de répit que le soir, lorsque le ciel paraissait encore plus immense qu'il n'était, mais plus tendre, et que la nuit protectrice tombait d'un seul coup.

Au bout de trois jours, ils atteignirent Shatt el-Ajouz et, avec Rivière, il dut quitter le groupe. Ils montèrent dans un camion venant d'Arabie, racontant au chauffeur des histoires d'archéologie et de fouilles dans les sables du désert pour expliquer leur état, leurs keffiehs, leurs yeux bouffis et leurs sacs minables. Ils arrivèrent dans la capitale de l'émirat, où ils vécurent dans un hôtel de luxe, passant leur temps dans les salons à lire les quotidiens anglais vieux d'une semaine, à admirer les rares Européennes qui entraient et sortaient et à fantasmer sur les divines femmes d'Arabie, voilées et cérémonieuses, dont les yeux par-dessus leur voile se mettaient à briller quand elles sentaient qu'on les observait. Ou bien Hareth se plongeait dans une biographie des grands poètes d'avant l'Islam dont il m'assura avoir découvert en arabe un très vieil exemplaire chez l'un des rares bouquinistes de Shatt, sis dans la minuscule et crasseuse vieille ville et chez qui il se rendait en longeant la chimérique nouvelle cité et ses avenues encore bordées par le désert et vouées à être investies par les promoteurs occidentaux. Il se demandait aussi s'il ne finirait pas par rentrer, comme son père me le certifiait, mais quelque chose le retenait, contre l'avis de Rivière qui décida de partir. Et en effet il rencontra un compatriote, un grec-catholique de la Bekaa qui avait planté de la lavande dans le désert par champs entiers pour le compte d'un prince local et s'apprêtait à en écouler la production autour de l'océan Indien, sous forme d'huile essentielle. Hareth s'associa avec lui, et aussi avec le prince arabe, en se faisant passer pour un commerçant prêt à aller démarcher dans les ports du monde entier. En attendant, il vécut des mois dans une oasis où les champs de lavande poussaient à l'ombre des palmiers. Il allait se promener à cheval ou en voiture tout-terrain en compagnie de son nouvel ami, le long de canaux et de chemins où œuvraient des légions de travailleurs et d'élagueurs, tel un seigneur sur ses terres, rêvant le soir face au ciel pourpre dans l'immense et bienheureuse paix du désert. Il se rendait parfois en ville, d'où il nous envoyait des lettres qui parvenaient des mois après. Il lui arrivait aussi de téléphoner, parlant tantôt avec sa mère, tantôt avec Mado, et même une fois avec moi, et j'étais si ému que je ne sus quoi lui dire à part des sottises. Après quoi il partit sur des rafiots en bois pour écouler la parfumerie de son associé, il poussa jusqu'à Zanzibar, me dit-il, et lorsqu'il me le raconta je ris de ce nom que je prenais pour un pays inventé dans les vieilles légendes, et aussi jusqu'au Mozambique, un pays que j'imaginais riche et bariolé à cause des mosaïques qui résonnaient dans son nom. Il tira au revolver contre des pirates d'un bord à l'autre de vieux navires, et des maquisards noirs lui apprirent à utiliser la kalachnikov sur une immense plage au large de Lourenço Marques où le bruit des vagues couvrait le fracas des mitraillades. Il rencontra dans un port un marin somalien qui n'avait que trois doigts et qui prétendait avoir joué les autres aux cartes à Colombo, et il fit de la moto sur les digues du port d'Aden, dans un side-car sur lequel son compatriote se tenait en équilibre, debout, les bras en croix, heureux de son commerce florissant et de la fortune qu'il était en train d'amasser.

Pendant ce temps, ici, les contrariétés s'amoncelaient autour de nous, prélude aux grands chambardements annoncés mais que tout le monde se refusait à voir. Les choses avaient commencé à se dérégler avant le départ de Hareth. Il y eut la scission de la municipalité après l'assassinat de Raad, puis l'échec des familles lors des élections municipales partielles qui suivirent et durant lesquelles les partis politiques s'imposèrent. Le patron tenta tout ce qu'il put pour éviter le désastre, il réunit les autres chefs de clan, qui vinrent plusieurs fois chez nous. C'était spectaculaire, je ne les avais jamais vus tous dans une même réunion. Ils s'enfermaient des heures dans le salon des Hayek, pour décider de ce qu'il fallait faire face à la nouvelle donne, et face à la nécessité de constituer une liste électorale unie pour contrer les partis politiques, mais chaque fois ils sortaient sans avoir rien décidé et après s'être chamaillés sur tout, sur les parts de la municipalité, sur les offices que les uns contestaient aux autres, sur les quotas, sur des questions de terrains et de taux d'exploitation des sols. Il apparut qu'aucun ne voulait faire la moindre concession aux autres, certains étaient même enclins à laisser les choses filer, quitte à voir les partis politiques prendre la main, et l'on soupçonnait qu'ils avaient déjà été contactés par ces derniers. Lorsqu'ils partaient, il faisait nuit, les automobiles démarraient, les phares allumés faisaient basculer les masses d'ombres sur les arbres et les murs. Quand le calme lentement revenait, le patron, qui avait accompagné ses hôtes jusqu'en haut du perron, se tenait là un long moment dans l'obscurité, qu'embaumait le parfum des orangers, et fumait sans rien dire. Au bout de quelques minutes, je me hasardais à lui demander : « Alors, patron, ça n'a pas été, apparemment ? » Il demeurait silencieux un instant dans la douceur de la nuit, puis marmonnait que ce n'était qu'un début, et qu'avec des idiots pareils on allait droit à la catastrophe.

Et, en effet, nous fûmes battus aux élections. Les Hayek perdirent pas mal de pouvoir dans cette affaire, notamment le contrôle du cadastre, qui depuis vingt ans était géré par des individus que le patron plaçait lui-même et qui lui faisaient des rapports sur toutes les tractations concernant les biens fonciers de la région.

Leur fidélité permettait entre autres à Skandar Hayek de protéger la maison et les vergers contre les promoteurs lorgnant les parcelles qui nous entouraient et dont la sauvegarde était une de ses priorités. Dès que la municipalité fut perdue, dès que les fidèles eurent été écartés et remplacés, ces parcelles se trouvèrent menacées. Le patron n'était plus averti à l'avance d'une possible vente et il ne pouvait plus prendre les devants ou faire acquérir les terres par la municipalité. C'est à partir de cette époque que l'urbanisation de Ayn Chir, qui avait déjà commencé, atteignit notre quartier, et nous vîmes autour de nous de petits immeubles s'élever à la place des orangeraies, et les chantiers se multiplier, d'où parvenaient parfois le bruit des marteaux des ouvriers, leurs cris et leurs chants dans l'air bucolique. Mais tout cela n'empêcha pas le monde de tourner, pas même l'irruption des Palestiniens dans nos affaires, lorsque à la fin de 1969 leurs camps se soulevèrent. L'anarchie s'installa alors dans la région comme dans tout le pays. Les miliciens armés des organisations palestiniennes se mirent à parader dans les rues et sur les routes, menaçant d'abord les partisans des chefs chiites, qui perdirent définitivement leur pouvoir face aux nouvelles milices et aux partis de gauche, exactement comme nous avions perdu le nôtre face aux partis chrétiens. Ces derniers d'ailleurs s'érigèrent immédiatement en garde-fous contre les organisations palestiniennes qui avaient mis la main sur les camps et qui s'en prirent bientôt à tous ceux qu'elles soupçonnaient de sympathie pour les Kataëb ou pour l'ancien président Chamoun. Et puis, en décembre, il y eut l'attaque contre Haret Hreïk. Une semaine plus tard, des hommes en armes de Hayy el-Bir menacèrent Ayn Chir, s'infiltrant de nuit dans les orangeraies en direction des maisons et des agglomérations. Je ne rentrai pas chez moi ce soir-là. Je veillai avec les contremaîtres de l'usine, les armes posées contre nos sièges dans le jardin, attendant les nouvelles qu'apportaient des jeunes gens du quartier qui passaient en voiture. Juste avant l'aube, il y eut une brève fusillade, et au matin les ouvriers découvrirent une balle dans l'usine, un simple mais obscène morceau de plomb pointu qui avait fait un trou dans une des hautes vitres de la fabrique. Le minuscule objet passa de main en main, comme une scandaleuse preuve de l'agression palestinienne, comme une relique aussi, que je tins dans le creux de ma paume et que l'on montra ensuite au patron. Mais celui-ci tenta de faire revenir ses contremaîtres survoltés à la raison en rendant à la balle sa dimension réelle et insignifiante. « Vous en déversez dix fois autant chaque fois que vous êtes contents pour un mariage ou pour une élection, leur dit-il en riant. Alors n'en faites pas un drame. »

Le jour même, alors que partout le pays était en ébullition et au bord de l'explosion, des ouvriers palestiniens de l'usine vinrent demander si un des chefs du camp de Hayy el-Bir pouvait être reçu par Skandar Hayek. Ce dernier, sous le regard effaré de sa femme, déclara qu'il était d'accord. Le chef, un colonel, se présenta le lendemain matin. Sa voiture civile, escortée d'une Jeep, se rangea au pied de mon perron. Je retins mon souffle, le jardinier, son fils et Jamilé étaient discrètement rassemblés au bout de la terrasse. Je me levai, un peu impressionné quand même en voyant l'officier, grand et l'air très concentré, descendre de son automobile. On le fit entrer dans le salon où l'attendait le patron. Ils parlèrent quelques brèves minutes, l'homme dit qu'il venait prier les Hayek de faire savoir aux habitants de Ayn Chir que les gens de Hayy el-Bir voulaient vivre en paix avec eux. Le patron dit qu'il n'avait pas vocation à jouer les intermédiaires et qu'il fallait aller voir le chef de la municipalité. L'autre répondit que c'était un membre du parti Kataëb, qui ne voulait pas entrer directement en relation avec un chef de l'OLP. Le patron réfléchit, déclara qu'il aviserait, et l'après-midi même je l'emmenai chez le chef de la municipalité, à qui il demanda de réunir chez lui les responsables locaux des partis politiques. Je restai dehors, à bavarder avec un gardien municipal qui me raconta que la veille, la route, là, avait été bloquée pendant une heure. Je crus qu'il allait me parler des Palestiniens et de l'OLP, mais il me dit que c'était à cause d'une armoire normande. Comme je le regardais d'un air amusé, il m'apprit qu'un chiffonnier avait embarqué cette énorme armoire sur sa voiture à bras, qu'il avait eu du mal à tirer celle-ci et que, arrivé au niveau de la maison Kheir, l'armoire s'était renversée dans un énorme vacarme et qu'il avait fallu une grue à lever les voitures pour la soulever et la déplacer sur le côté. Je ris en lui rappelant qu'il arrivait naguère que l'on fût bloqué ici même par des troupeaux de moutons et par le train tranquille de caravanes de chameaux. Cette dernière histoire le laissa dubitatif, et entre-temps la réunion s'était achevée. Le patron en sortit content, il avait réussi à convaincre les locaux de dialoguer avec les Palestiniens et j'eus envie de lui dire que, d'une certaine façon, il tenait sa revanche sur les élections. Je n'avais pas tort, parce que évidemment, très vite, c'est à lui que l'on eut recours à chaque nouvel incident, étant donné qu'il accepta de présider la commission mixte qui fut mise sur pied. Cette commission ne se réunit qu'une ou deux fois, et pour le reste, tous les conflits entre les Palestiniens et les habitants durant les trois années qui suivirent se réglèrent au téléphone. Quand des éléments du FPLP arrêtaient un jeune homme de Ayn Chir parce qu'il était Kataëb, ou lorsque des miliciens du Fatah voulaient empêcher les travaux préludant à la construction d'un immeuble sur la route de Haret Hreïk sous prétexte qu'ils étaient trop proches de l'entrée du camp et qu'alors des coups de feu étaient tirés, c'était le patron qui était chargé de la négociation. Il soupçonnait les responsables à Ayn Chir de le pousser sur le devant de la scène pour l'épuiser et lui montrer la vanité de traiter avec les Palestiniens. Mais il tint bon. Chaque fois, la même chaîne se mettait en mouvement. Les représentants des partis l'appelaient, à son tour il appelait les chefs palestiniens, mais c'était la croix et la bannière, car la ligne de ces derniers était branchée sur un talkie-walkie. On s'entendait mal, dès qu'on parlait en même temps les voix s'entremêlaient, puis le téléphone ou le talkie-walkie passait d'un garde du corps à un lieutenant et d'un lieutenant à un capitaine, parce que les milices des organisations palestiniennes avaient repris les grades des armées régulières, et finalement le patron obtenait de parler au colonel qui était venu lui rendre visite.

Si les problèmes étaient chaque fois réglés, le patron n'en sortait pas moins épuisé. Mais, tout cela, je crois qu'il le faisait parce que ainsi il demeurait au courant des affaires, et pouvait protéger ses terres, ses biens et l'usine. Et aussi pour que le monde tel qu'il l'avait connu puisse durer le plus longtemps possible, alors qu'il devait bien se douter que les changements étaient inéluctables. Si bien que, quand j'y repense aujourd'hui, j'ai cette impression que si notre univers a en partie résisté encore quelques années, c'est grâce à lui. Il tenait les fils de notre destin entre ses mains et tant qu'il tint bon, tout tint, les choses continuèrent de tourner, avec la maison au centre, et le monde autour, avec l'usine qu'il gérait patiemment, avec les orangers et les pins, avec les cueilleurs de pignons perchés au sommet des arbres, avec le va-et-vient devant le portail, avec les bonnes qui passaient la serpillière pieds nus et en chantant à tue-tête quand les patrons étaient absents, avec les lubies de Mado, avec l'élégance de la patronne et avec l'excitante présence de Karine, qui, comme toutes les filles de son milieu, était surveillée attentivement, à l'instar de la fille d'un prince promise à quelque altesse et qu'il faut protéger du monde, autorisée à tous les caprices à l'intérieur mais très peu en dehors. Karine menait pourtant une vie clandestine, elle faisait les quatre cents coups, courait en ville avec ses amies, allait au cinéma à la séance de quinze heures à Hamra, et sans doute fumait et se laissait courtiser et lutiner par les jeunes gens que je voyais autour de l'École des lettres, où je la menais pour ses études, et dont j'aurais bien fait de la bouillie si j'avais été chargé aussi de surveiller la bonne conduite de la demoiselle.

Mais on ne m'avait pas confié cette mission, et je crois même que Skandar m'aurait empêché de faire quoi que ce soit qui pût entraver la liberté de sa fille, il aurait pris son parti. Il la sentait hautaine et forte, il en était fier et répétait à ceux qui le lui reprochaient : « Elle sait qui elle est et ce qu'elle vaut, elle ne se laissera pas faire. » Si bien que je ne disais rien, quand bien même je la voyais entourée de jeunes gandins ou de gauchistes barbus qui jouaient les Che Guevara. Je craignais qu'elle n'ait les mêmes envies que Hareth, rêvant d'espace comme lui, et qu'en se débridant ainsi elle ne prît déjà un peu le large, elle aussi. C'est lorsque je la vis en croupe sur une moto, derrière un garçon dont elle enserrait le torse de ses bras, sur la corniche du bord de mer, que je pris vraiment peur. Je me mis à prier pour qu'elle ne s'en aille pas à son tour. Mais je me trompais, elle ne partirait pas. J'allais petit à petit apprendre au contraire qu'elle tenait à sa position, qu'elle avait la fierté des plus durs parmi les Hayek, et aussi la conscience innée de son rang. Et, à l'instar de son père, elle jouait à s'en moquer, avec l'assurance de ceux qui n'ont rien à prouver et qui peuvent, par bravade, tourner tout cela en dérision, comme lorsqu'elle fréquentait des gauchistes ou des anarchistes. D'ailleurs, il y avait entre elle et Skandar une véritable complicité. Il trouvait auprès de sa fille ce que sa femme rechignait à lui donner. Je le voyais bien lorsque je les conduisais tous deux en ville. Elle l'accompagnait pour acheter des liqueurs, des cigares et de vieux tapis de collection, et il allait avec elle dans les boutiques où elle faisait ses achats durant des heures. Il s'installait et donnait son avis sur ses robes, ses chaussures ou ses manteaux, agréait à tout, payait des sommes colossales. Peut-être étaient-ce à ses yeux les instants les plus heureux, ceux de la dépense pure, jouissive, esthétique, lui qui pendant trente ans géra le patrimoine et l'usine avec une redoutable efficacité, comme un devoir, comme s'il n'avait d'autre choix que de tout faire pour céder intact l'héritage à son successeur. Mais quel successeur ? c'était sans doute la question qui le taraudait. En voyant son fils aîné venir travailler et repartir avec nonchalance, il rêvait à son cadet, celui qui errait entre les déserts d'Arabie et les côtes de l'Afrique. Peut-être l'enviait-il pour la liberté qu'il s'était offerte, lui qui était ligoté à son héritage comme un cheval à son attelage, et forcé de le mener à bon port, ce qu'il fit, jour après jour, traitant avec les ouvriers, les contremaîtres, les ingénieurs, les représentants, mais aussi avec les responsables locaux des partis politiques chrétiens et les membres des organisations palestiniennes, qui tous lorgnaient l'usine et voulaient lui imposer les uns une taxe de solidarité, les autres un impôt révolutionnaire, ce qu'il refusa systématiquement de payer, malgré les menaces. Il s'occupait du coton, des machines, des marchés, des camions, des factures, des assurances, et tout cela dura, comme durait depuis des lustres la marche des choses sur ce domaine, depuis son père et son grand-père, au bruit du tac-tac des machines et du grincement de la roue de l'affûteur, jusqu'à ce que se produisît l'événement inouï, la chose qui sidéra tout Ayn Chir et dont l'écho se répandit en ville à la vitesse de la lumière. Toutes les puissances peuvent être victimes de l'imprévu, de la nature, du hasard, du destin, les empires à leur apogée peuvent être submergés par les eaux ou par les épidémies, les rois meurent subitement, les chefs de guerre tombent morts le jour de leur victoire, la nature est imprévisible, le corps humain incontrôlable, et c'est ainsi que Skandar Hayek, alors aux yeux de tous au sommet de sa force, un matin s'effondra. Il sortait de son bureau et se dirigeait vers la maison lorsque des ouvriers le virent soudain s'arrêter, prendre un air concentré sur lui-même, comme s'il s'interrogeait sur quelque chose ou tentait de se souvenir de quelqu'un, puis, sans autre forme de procès, il se retrouva à terre. Pour ces fiers-à-bras, ces ouvriers musculeux et bravaches, le spectacle de leur patron, de l'homme fort de Ayn Chir, couché dans la poussière fut un choc plus violent que tout ce qu'ils avaient vécu jusque-là, plus violent que les combats entre clans, les vendettas, les morts et que la possibilité de leur propre effondrement devant leur famille. Nombre d'entre eux me racontèrent comment ils accoururent, se penchèrent sur lui et le portèrent, les uns par les jambes, les autres sous les aisselles, d'autres encore en lui retenant la tête pour qu'elle ne pende pas en arrière, et la plupart se demandant quel châtiment serait le leur d'avoir touché le corps de leur patron, quelle punition ils subiraient de l'avoir vu relâché, flasque, lui dont la fermeté était plus que légendaire, d'avoir soutenu sa tête nimbée d'une aura de lumière noire et de puissance sans nom. Ils me le raconteront souvent, et les plus volubiles rapporteront la panique, le sentiment subit que le monde n'avait plus de maître, qu'ils étaient livrés à eux-mêmes dans cette usine, et comment, après qu'ils eurent déposé le patron sur le grand canapé dans son bureau, aucun d'entre eux n'osa prononcer le mot fatidique sur la possible mort du chef, jusqu'à ce que ce dernier produisît soudain des sons qui signalaient son appartenance à la nature humaine et rattachaient son corps à autre chose qu'aux corps glorieux des princes et des rois, des sons familiers à tous mais qu'ils n'auraient pas crus imaginables chez lui, un souffle rauque, des gémissements et de brefs hoquets. Conscients d'être investis d'une responsabilité immense, ils se mirent à parler tous à la fois, puis dans le désordre entreprirent assez efficacement de porter à nouveau le corps et de courir avec en criant jusqu'à la villa d'où je fus le premier à les voir arriver, entravés par ce que je ne compris pas tout de suite être le patron, qui, à cet instant, était bel et bien mort.

10

Dès le lendemain de la disparition de Skandar beyk, tous les regards se tournèrent vers son fils Noula. Moi, je dus quitter mon perron pour aider dans la maison, en cuisine et à l'office, lors des interminables journées de deuil, de funérailles et de condoléances. Je vis les parents et les alliés entourer l'héritier, le traiter comme le nouveau patron, et cela me donna des sueurs froides. Ils adoubèrent le jeune paon et, comme dans les anciennes dynasties, c'est lui qui orchestra tout, le service funèbre et la réception de l'évêque, c'est vers lui que se dirigeaient, lors de leur visite, les hommes de religion, les industriels de la région, les patrons des divers clans de Ayn Chir et les chefs politiques, c'est lui qu'ils prenaient dans leurs bras et c'est à ses côtés qu'ils s'asseyaient, se penchant ensuite pour lui glisser discrètement quelques mots à l'oreille. Il vint même les colonels de l'OLP du camp de Hayy el-Bir, dont l'entrée provoqua un assourdissant silence qui se poursuivit le temps qu'ils s'avancent au milieu du grand salon jusqu'à Noula, martiaux et fiers au cœur de l'incrédulité générale. Et lui, Noula, se la jouait, avec sa mine défaite. Il menait l'affaire, écoutait, gérait son personnel à coups de regards entendus ou de haussements de sourcils, et j'étais le seul à refuser d'obtempérer quand il me faisait un signe et qu'il fallait accourir discrètement. J'ignorais ses imperceptibles mimiques que les gens de la maison interprétaient au vol. Sa mère et Mado le laissaient faire avec complaisance et, quant à Karine, elle se tenait à part, véritablement indifférente à tout ce va-et-vient et comme foudroyée par la disparition de son père. Moi, je me demandais juste à quel moment Noula allait baisser sa garde, avoir un geste d'impatience, faire une blague ou regarder trop pesamment une de ces jolies jeunes femmes qui entraient, élégamment vêtues de noir, pour présenter leurs condoléances, ou encore aller s'asseoir ostensiblement à côté d'une d'entre elles. Mais il tint bon, sérieux, placide, affichant jusqu'au bout une mine de circonstance, et se permit même le luxe de justifier l'absence de son frère, répondant poliment qu'on avait averti Hareth mais que ce dernier était loin, alors qu'à la vérité on ne savait pas où il était, et je me demande combien parmi les chefs de famille et les politiciens pensèrent comme moi et regrettèrent l'absence du cadet en s'interrogeant sur la façon dont l'aîné, réputé volage et superficiel, allait tenir l'héritage des Hayek. Peut-être que sa mère même, et sa tante, tout comme moi et comme Jamilé, espéraient voir Hareth apparaître subitement pendant ces cérémonies, poussiéreux dans ses vêtements d'aventurier, les yeux rougis de n'avoir pas dormi des jours entiers, mais beau et fort. Sauf que ce rêve romantique ne se réalisa pas, Hareth n'apparut pas, on ne sut où envoyer l'avertir, où expédier des télégrammes, où téléphoner, et c'est finalement Noula seul qui prit les rênes des entreprises, des terres et des biens.

Pendant les premiers temps, assis sur mon perron, déboussolé, incapable de penser à autre chose qu'à Skandar, à sa manière de se tenir à mes côtés debout avec sa cigarette aux lèvres, le regard lointain et pensif, je craignis que ne me fût signifiée ma disgrâce. Je voyais arriver Noula le matin, il passait devant moi en montant les quelques marches, me lançait distraitement un mot aimable et entrait pour saluer sa mère et sa tante. J'avais chaque fois l'impression qu'il parlait de moi à l'intérieur. Mais la disgrâce ne vint pas, parce que mes patronnes m'aimaient bien, et aussi parce qu'on avait besoin de moi : il n'y avait plus que des femmes dans cette maison et j'allais devenir un peu leur eunuque, leur chauffeur et leur homme à tout faire, sans me douter que c'était de leurs querelles qu'arriveraient les premiers désordres, les prémices domestiques des grands chambardements qui allaient tous nous emporter. Je restai donc à leur service, à mon poste, en haut du perron, mais souvent aussi je les accompagnais en ville. J'entendais les récriminations de Mado en me demandant qui pourrait désormais la contenir. Je voyais Marie et son visage devenu imperméable, comme si la nécessité de lutter pour rester la maîtresse chez elle l'avait forcée à sortir de sa rêverie et de son apparente indifférence au sort du domaine des Hayek et avait du coup durci ses traits, l'avait fait passer de la distraction amusée à la subite et pénible concentration. Elle allait moins chez ses amies le matin, elle demeurait chez elle à examiner des papiers, à découvrir les affaires de son mari, assise dans son salon qui paraissait encore plus vide après les semaines de cohue qui avaient suivi la mort du patron et où l'absence de ce dernier pesait lourdement et donnait à la veuve l'air d'une naufragée solitaire sur une île déserte. Il venait des notaires et des comptables, et elle restait une heure avec Noula. Pendant ce temps, je devais accompagner Mado au cimetière. La mort de son frère fut pour elle l'occasion de visites désormais quotidiennes au monument familial, devant lequel elle se tenait prostrée, avant de se redresser et de me donner des ordres pour arranger les plantes, jeter des fleurs abîmées, et je voyais bien dans ses yeux qu'elle récapitulait, au nombre de bouquets déposés, qui était passé et qui ne l'était pas, maugréant contre Marie qui semblait se désintéresser du défunt. Elle en était choquée, mais moi je me taisais, pour ne pas avoir à prendre parti contre la patronne. En rentrant, Mado croisait Noula qui sortait. Elle lui reprochait de ne pas monter la voir, il faisait alors mine de vouloir l'accompagner chez elle, mais elle le congédiait avec aménité. « Va, lui disait-elle, tu as du travail, tu hérites de beaucoup de problèmes. »

Et, en effet, il héritait d'une situation délicate, avec le domaine, l'usine, les partis politiques qui tenaient la municipalité, les camps palestiniens en perpétuelle insurrection. Mais dès le commencement il fut comme un prince à qui est laissé un imposant royaume, sain et bien gouverné, et qui, par désœuvrement et souci de se divertir, décide de s'agrandir, de sortir des frontières assignées par ses prédécesseurs. Devenu le maître du destin des Hayek, il aurait dû gérer les biens comme l'avait fait son père, maintenir à distance les partis politiques et les Palestiniens, apprendre à parler le langage des ouvriers, des contremaîtres et des représentants. Or tout cela à l'évidence l'ennuyait, il se voyait des destinées plus importantes et se mit à envisager des scénarios babyloniens capables de le distraire comme les orgies distrayaient les despotes d'autrefois. Il en avait les moyens et ne se gêna pas. La première décision qu'il prit fut de renouveler les machines de l'usine, d'en acquérir de plus performantes. « Mais enfin, Noula beyk, protestèrent les contremaîtres, nos machines sont excellentes, pourquoi les changer ? » Mais Noula fut insensible à l'argument. Il était persuadé que les contremaîtres ne pouvaient le comprendre et il les congédia d'un geste condescendant. Sauf qu'il n'avait aucun plan ni aucun projet, il lorgnait simplement du côté de l'usine de Ghaleb Cassab, la plus moderne de la région, qu'il avait envie d'imiter. Mais lui, ce n'était pas l'aventure inouïe de Ghaleb qui l'intéressait, comme elle avait intéressé Hareth, ce n'était pas le fait que le fils Cassab fût allé subtiliser ses machines à Alep et les eût transportées par monts et par vaux, qu'il eût sué sang et eau avant de pouvoir les faire fonctionner, c'était simplement leur puissance qui le fascinait, et leur rendement, et l'enrichissement des Cassab grâce à elles, comme s'il avait besoin de s'enrichir davantage. Mais nul ne sait où s'arrêtent l'envie et le désir de puissance, et Noula, qui était timoré et faible, se rêvait comme un conquérant alors qu'il n'avait d'autre qualité que celle de posséder l'argent nécessaire pour faire non des conquêtes mais des bêtises. Et c'est ainsi qu'au bout de quelques mois, et comme s'il s'était promené dans l'usine qu'il voyait pour la première fois et l'avait trouvée vieille et poussiéreuse, il décréta qu'il fallait évacuer tout ça, ajoutant qu'il allait tout remplacer par de nouvelles machines allemandes, des Köber. Il ne cessa plus de faire l'apologie de ces dernières dans les salons, auprès de sa parentèle et des autres industriels qui le regardaient d'un air narquois, et aussi auprès des femmes de la maison Hayek, qui pour la première fois levèrent des sourcils inquiets. Elles n'y connaissaient pas grand-chose, certes, Mado et ma patronne Marie, mais elles avaient tout de même vécu dans le culte des traditionnelles tisseuses, les Monfort et les Gladbach, elles avaient vu les ingénieurs étrangers venir les ausculter, elles avaient entendu les louanges qu'on en faisait et avaient compris que la fortune des Hayek depuis au moins un demi-siècle s'était construite sur ces noms vénérables. Elles furent effrayées par les décisions intempestives que Noula leur exposait lors des repas qu'il venait prendre chez nous à midi et à l'occasion desquels Jamilé lui mitonnait ses plats préférés. Il riait des craintes des femmes et avait l'air si confiant qu'elles durent se dire que c'était la peur du changement qui les inquiétait et sourirent alors complaisamment au garçon. Lorsque j'entrais à la fin des repas, je les voyais tous détendus et cela m'agaçait. L'aveuglement des deux femmes me rendait malade et je ne pouvais même pas en parler avec Jamilé, qui aimait Noula et qui considérait ses décisions comme la sagesse même. Mado rapportait tout de même à son neveu ce que les contremaîtres étaient venus discrètement lui dire, à savoir que ces Köber leur étaient inconnues, qu'ils ne savaient pas travailler dessus. Mais il riait en achevant un verre de liqueur : « Ne t'en fais pas, Mado. Tu penses que je vais les laisser dans l'ignorance ? Il y aura des techniciens pour tout leur apprendre. » Son argument pour justifier sa lubie concernant les machines allemandes, c'était qu'elles avaient une capacité de rendement double, car elles tissaient les fils sur deux rangées simultanément alors que les machines classiques le faisaient sur une seule. Personne ne comprit jamais rien à ses propos, et je me suis demandé plus tard s'il savait de quoi il parlait, mais il proclamait que c'était révolutionnaire, qu'il serait le premier à utiliser ces engins en Orient, et que, une fois testés chez lui, il en deviendrait l'agent et les commercialiserait dans le pays et dans toute la région. Il se grisait à ces mots et vous regardait d'un air apitoyé par votre petitesse, vous qui n'aviez pas de grands rêves comme lui. Finalement, et comme pour prouver l'inéluctabilité des changements formidables qui allaient s'opérer, Noula annonça fièrement l'arrivée des nouveautés. Il passa des heures au port avec les courtiers et les assureurs, puis les fameuses Köber firent leur entrée chez les Hayek, dans d'énormes camions. J'entendis le roulement des moteurs, je vis les eucalyptus qui frémissaient à l'horizon sur le passage du convoi, mais je ne bougeai pas de ma place. J'en eus juste des échos, surtout quand il fut question d'évacuer tout le vieux patrimoine, les décatisseuses et les encolleuses qui avaient fait la gloire des Hayek. Un jour que je l'accompagnais en voiture, je pris le risque d'en parler à Noula. Il refusait par coquetterie d'avoir un chauffeur à lui. Quand, ayant pris la direction des affaires, il avait à se rendre à des réunions, il me demandait de l'emmener et je le conduisais dans la Buick de son père, que Marie avait conservée. Il s'installait à mes côtés, comme Skandar, et m'entretenait de choses sans intérêt. Mais, ce jour-là, je lui demandai d'un ton grave ce qu'il comptait faire des anciennes machines, qui fonctionnaient encore parfaitement bien. Il rit et me dit que j'en parlais ainsi que de bijoux de famille ou de tableaux de maîtres. Comme je me taisais, regardant la route devant moi, il ajouta qu'il allait les donner. « Trouve-moi un bon chiffonnier », conclut-il en riant à nouveau, et cette désinvolture me choqua, je me dis que l'on ne peut pas cracher comme ça sur les bienfaits que le ciel vous a accordés sans récolter une juste punition. Indifférent à mes avis comme à ceux de tout son monde, Noula mit en place sa « nouvelle artillerie », comme il disait. Mado et Marie tentèrent de le faire réfléchir, elles chargèrent Georges Ghosn et le beau-père de Noula, définitivement revenu d'Égypte, de lui faire entendre raison, mais ils annoncèrent aux deux femmes que c'était inutile, que le garçon était sûr de son fait et que, après tout, on n'avait qu'à le laisser agir, et on verrait bien.

On le laissa agir, évidemment. Pour installer les énormes mécaniques, si grosses que les ouvriers les regardaient avec un mélange de terreur et de fascination, on dut réaménager à la hâte le plan de l'usine. Puis arrivèrent les techniciens de la firme allemande, et les mastodontes de chez Köber se mirent en marche. Mais entre-temps les commandes avaient pris du retard, et les premiers tissus que l'on fabriqua ne correspondirent pas exactement à la demande. Quand les représentants vinrent faire connaissance avec la nouvelle production, ils rouspétèrent et il fallut toutes les promesses de Noula et ses imprudentes garanties de marges plus grandes pour les convaincre. « Un peu de patience. Le succès sera fulgurant, et nous fera rattraper le temps perdu », disait-il à sa tante et à sa mère, et aussi à son oncle et à son beau-père, toujours riant, levant son verre, goguenard face aux incrédules ou à ceux qu'il estimait trop timorés. Et quand on lui demandait, comme je le fis une fois en voiture, ce qu'il en était des fameuses confections simultanées, caractéristiques des Köber et dont les ouvriers témoignaient qu'elles n'avaient pas été très efficaces, il riait encore et disait qu'elles étaient l'atout qui allait foudroyer les concurrents. « On va y arriver, assurait-il, ce sera la charge de cavalerie décisive », et il m'énervait tant avec ses comparaisons guerrières que je finis par me taire, comme devaient se taire ses interlocuteurs dans les soirées mondaines ou dans les réunions familiales. Évidemment, la charge de cavalerie ne vint pas. En revanche, il y eut toutes sortes de problèmes techniques dès le départ des ingénieurs, et c'est un gros souci électrique qui décida du sort des machines. Un beau jour, des étincelles fusèrent au-dessus d'un poteau devant l'usine et produisirent des échevèlements d'éclairs qui zébrèrent le ciel matinal dans des grésillements effrayants. J'assistai à la scène depuis mon perron. Je me levai et me précipitai avec le jardinier alors que les femmes de la maison sortaient pour regarder de loin le spectacle terrifiant de ces fioritures lumineuses. Quand nous arrivâmes, les ouvriers étaient presque tous dehors, et bientôt le feu prit à la crête d'un eucalyptus. On interrompit les tentatives de démarrage de l'invention de Köber en se promettant de rappeler les techniciens, mais on ne les rappela jamais et on en revint simplement à la production normale. Sauf que ce n'étaient plus les mêmes produits, et que le rythme de fabrication était plus lent. Les représentants recommencèrent à marmonner, les nouvelles marges qu'on leur proposait n'étaient plus très rentables au vu de la faiblesse de l'offre des usines Hayek. Or, à cette époque, le secteur du textile se portait bien, comme tout le reste dans le pays où pourtant les Palestiniens paradaient en armes dans les rues de plus en plus ostensiblement, comme à Amman en 1970, et où en réaction les habitants de Ayn Chir, comme ceux de la plupart des quartiers chrétiens, commençaient à s'armer eux-mêmes. Nous dansions sur un volcan, mais nul n'en avait cure, les affaires et l'opulence qui en découlait étaient les seules choses que l'on acceptait de regarder en face, les marchés de la ville absorbaient la production textile locale et l'importation était énorme, la concurrence redoutable pour chacun. Ce qui explique que les représentants finirent par se détourner des Hayek et que la demande baissa de manière catastrophique. Mais Noula restait calme et serein, au-dessus de la mêlée, tels ces aristocrates à qui on donne le commandement des armées et qui, quand la défaite se fait de plus en plus évidente, quittent dédaigneusement le champ de bataille en déclarant que c'est la faute des soldats qui se battent trop mollement. Les comptables évidemment, ne sachant à qui en référer, vinrent porter la chose devant Marie et Mado, qui en parlèrent à leurs proches et alliés, à Georges Ghosn et à Antoine Rached, mais ces derniers ne purent que constater les dégâts. Quant à faire entendre raison à Noula, c'était peine perdue. Il continuait à venir manger chez nous, un midi sur deux. Toujours de bonne humeur, ou feignant de l'être, il racontait des histoires, buvait sa liqueur en rassurant sa mère et sa tante, parlait de projets, répétait que les comptes s'arrangeaient, que les commandes reprenaient, mais laconiquement, en restant dans les généralités, malgré les tentatives des femmes pour le faire parler davantage. Il les rabrouait aimablement : « Ne vous en faites pas, j'ai tout expliqué à mon oncle Georges, il a vu que tout allait bien », et, s'il sentait qu'elles l'observaient d'un air dubitatif, il éclatait de rire, et je crois qu'à ce moment elles auraient dû comprendre que ce garçon avait un grain.

D'ailleurs, l'oncle Georges ne voyait pas du tout les choses de la même manière que son neveu. Mais il n'en parla pas à sa sœur ni à Mado et je me suis même demandé si la ruine des Hayek n'était pas pour lui une chose plutôt rentable politiquement, puisqu'elle le laissait seul parmi les grandes familles à pouvoir traiter avec les partis politiques. Il ne devait pas considérer d'un mauvais œil non plus le fait que Noula gérât très mal ses relations avec les Palestiniens de Hayy el-Bir. Ceux-là se tenaient encore tranquilles sous l'effet de l'ancienne alliance de leurs chefs avec Skandar beyk, mais ils n'allaient pas tarder, à l'issue des affrontements de 1973, à revenir à leur agressivité initiale. Quant à Noula, il ne voyait de danger nulle part. Pour lui, incapable de se fixer sur une chose et suffisamment riche pour se permettre de diversifier ses folies, les possibilités étaient immenses, ses idées innombrables, et, en deux années au bout desquelles il avait réussi à ruiner la vénérable entreprise textile des Hayek, il eut plusieurs lubies, dont il ne put réaliser qu'une seule, qui acheva de tout mettre à bas.

Cette lubie, tout le monde ou presque sait précisément d'où elle lui vint. Avec sa femme, il organisait des soirées devenues légendaires où l'on jouait aux cartes, où l'on perdait des sommes folles et où il recevait toutes sortes de convives, des pique-assiettes et des gens intéressés, à qui il offrait des spectacles et de la musique. Ces soirées étaient l'occasion pour Noula de s'entourer d'une cour de faux amis qui bénéficiaient de ses largesses, parce que c'était sa manière de se faire aimer. Or, parmi ces faux amis, il y avait le fils d'un distilleur d'arak qui eut un temps l'ambition de transformer l'affaire de son père en une véritable industrie, mais sans y parvenir. Il fabriquait de l'alcool d'anis qu'il vendait dans des dames-jeannes sans étiquettes et sous le label d'« arak artisanal ». Au cours des années, il avait tenté sans succès de convaincre Noula d'investir avec lui dans quelque entreprise et il s'obstinait à rêver d'une brasserie. « Nos bières locales sont à quatre et demi pour cent, vous imaginez un peu ? » répétait-il sans fin, et je l'entendis moi-même le dire un jour qu'il vint voir ma patronne, en compagnie de Noula, ajoutant joyeusement qu'on pourrait en faire une formidable, à cinq ou cinq et demi. On se prit à l'appeler M. Cinq-et-demi et c'est lui qui fut à l'origine de la subite envie de l'héritier des Hayek de se lancer dans l'industrie de la bière. L'échec du textile sous la forme révolutionnaire qu'il imaginait fut pour le fils de Skandar le plus absurde des alibis. Il décida que, puisque c'était ainsi, il fallait faire autre chose, à la manière d'un enfant qui change de jeu quand celui du moment l'ennuie. Il se lança dans cette entreprise insensée et rien, ni les mises en garde de Ghosn ni celles de son beau-père, n'y put quoi que ce soit, encore moins les conseils de ses amis, de ses partenaires au jeu ou des convives des soirées organisées dans les cabarets chic de Beyrouth. La seule chose sur laquelle il n'était pas dupe, c'étaient les compétences de M. Cinq-et-demi. Il s'offrit donc les services et les conseils d'un maître brasseur belge qu'il avait rencontré lors d'un dîner et qui accepta de travailler pour lui, moyennant des cachets mirobolants. Ensemble ils montèrent le projet d'une brasserie, Noula libéra une partie de la fabrique de textile et dessina lui-même les plans de construction des silos. J'entendais le vacarme des bulldozers qui, au grand dam des habitants du domaine, abattirent quelques-uns des vieux eucalyptus qui dissimulaient la vue de l'usine, et Noula fit simultanément creuser de nouveaux puits avant de procéder à l'analyse de la qualité de l'eau. Sa mère et sa tante étaient désespérées, non seulement de ce à quoi elles assistaient mais aussi du refus de Ghosn de se mêler plus longtemps des affaires de celui que tout le monde prenait désormais pour un dangereux original. Mado fit la tête à son neveu, elle ne mangeait plus avec lui quand il venait le midi, considérant que le quasi-abandon du textile était une trahison à l'égard des Hayek, dont le nom même, rappelait-elle à Noula, signifiait « tisserand ». Mais lui, comme à son habitude, en riait. Il venait souvent chez nous avec son Belge et avec M. Cinq-et-demi, je fus moi-même témoin de l'une de leurs visites. Je les vis arriver tous les trois, coincés dans la petite automobile de sport de Noula. Je trouvai le Belge plutôt sérieux et sympathique. Il s'arrêta devant moi en haut du perron et posa une question sur l'âge de la villa. M. Cinq-et-demi dit quelque chose de faux là-dessus, Noula le rabroua avant de me laisser répondre. À la fin de leur repas, je les surpris, à la table de la salle à manger, sur la nappe où traînaient encore des serviettes et des verres de vin, en train de dessiner devant Marie les futures étiquettes des bouteilles de bière. J'estimais que la patronne avait tort d'accorder de l'importance à tout cela. Or je crois qu'elle essayait surtout d'éviter de braquer son fils, de conserver un peu de pouvoir sur lui, ce que Mado évidemment voyait d'un mauvais œil, considérant la mère et le fils comme complices dans la liquidation de la grandeur des Hayek. C'est vers cette époque que la tante commença à marmonner contre son neveu, et que je l'entendis me dire un jour en voiture que Noula était une « mauvaise graine ». Elle exagérait, à mon avis, je le lui dis, elle insista, je me tus sans me rendre compte de ce que ce genre d'idée en se développant pouvait déclencher de ravageur dans l'esprit de Mado. Pendant ce temps, les travaux de construction de la brasserie allaient bon train et transformèrent le domaine en chantier, jusqu'à ce que les silos apparaissent à l'horizon, fermant la vue sur la partie est de Ayn Chir. Noula défigurait les lieux et j'en étais furieux, même si tout cela ravissait les livreurs, les garçons bouchers et le marchand de journaux, aux yeux de qui le jeune patron était un homme à poigne. Quand ils me cassaient les oreilles avec leurs éloges de ce fou, je les chassais, non sans leur dire ma façon de penser. Ce que je pensais, moi, c'était que tout cela devait coûter des fortunes et qu'on n'en sortirait pas sains et saufs. Et, en effet, bientôt arrivèrent les cuves, dans de grands camions, puis les réservoirs de filtrage, et Noula devait bien s'apercevoir qu'il était en train de se ruiner avant même que la production ne démarre. Je le vis soucieux pour la première fois de sa vie. Mais très vite revinrent l'hilarité et la joie, lorsque le brassage commença, malgré le coût de l'orge, du houblon, du maïs que Noula importait. Sur les conseils absurdes de M. Cinq-et-demi, il achetait ces matières extrêmement cher, parce que c'était la garantie que la fameuse bière posséderait la divine amertume des allemandes. Et, après tout, la boisson promise aurait pu être remarquable – sans quoi les deux grands brasseurs locaux ne s'en seraient pas inquiétés. Or ils s'en inquiétèrent, paraît-il, et à cette seule idée Noula jubilait. « Ils vont baisser leurs prix ! clamait-il, joyeux. L'information est de source sûre. » Cela pour lui signifiait que ses futurs concurrents se sentaient en danger. « Mais enfin, Noula, lui dit son oncle Georges Ghosn, c'est plutôt une stratégie pour tuer dans l'œuf tes tentatives. Avec tout ce que tu as déboursé, tu ne pourras pas faire une bière bon marché. »

Or, de toute façon, il n'en était pas question, de la faire bon marché. Pour l'héritier des Hayek, sa bière devait être chère, c'était plus chic et cela la placerait au niveau des bières étrangères dans l'esprit des consommateurs. C'était absurde, mais c'était ainsi qu'il réfléchissait, et cela aurait suffi à causer l'échec de son affaire. Mais il y eut encore d'autres choses, notamment les événements du printemps de 1973, où l'État libanais tenta de reprendre le contrôle des camps palestiniens. Durant plusieurs jours, l'enclave de Hayy el-Bir fut bombardée, mais les combattants de l'OLP répondirent avec violence et, en ces semaines absurdes qui signèrent la faillite de l'État libanais, l'usine de textile et la brasserie durent s'arrêter. Lorsque le travail reprit, les retards s'étaient accumulés. La campagne de réclames n'avait pas encore démarré, et les premières bouteilles sortirent alors que le public en ignorait l'arrivée et que c'était déjà le début de l'été. Ce fut un échec patent, malgré l'éternel et ridicule optimisme de Noula qui fêta l'apparition de ses premières bouteilles avec le vaste cercle de ses amis, à défaut de pouvoir le faire chez nous, même s'il nous apporta les premiers spécimens de sa Phénix. C'était le nom de sa boisson, il m'expliqua que cela symbolisait la renaissance de la vraie bière, celle que confectionnaient les Phéniciens et les Égyptiens au temps où l'Allemagne et la Belgique n'étaient que d'obscures forêts. Mado ne voulut même pas en entendre parler. Marie et Karine montrèrent un intérêt prudent, curieuses quand même de voir la concrétisation de la folie du garçon, cette fameuse bouteille en forme de cône dont Noula était si fier. Le lendemain, en arrivant, il me demanda si je l'avais goûtée. Je lui dis qu'elle était excellente mais, à la vérité, je la trouvais d'une amertume singulière, et il semble qu'en fait il y ait eu une arnaque qu'il ne voulut jamais admettre parce qu'il ne l'avait pas vue venir, on lui avait vendu une levure de qualité médiocre qui gâta tout le premier brassin. Par ailleurs, le prix élevé de la bouteille n'arrangea pas les ventes. Noula refusa de le baisser et on était déjà à la fin de l'été lorsqu'il décida de lancer une campagne de publicité télévisée. Pendant deux mois, il en oublia presque la fabrication pour travailler sur le petit film, comme s'il était devenu réalisateur de cinéma. Il voulut que l'on tournât une séquence sur la terrasse de la villa, à deux pas de là où j'avais l'habitude de m'asseoir. « On fera entrer la maison dans l'histoire », disait-il fièrement et comme si une réclame en noir et blanc était un gage d'éternité. À ma grande déception, Marie et Mado refusèrent. Noula demanda quand même à sa sœur si elle voulait tenir le rôle unique, mais Karine lui répondit sèchement qu'elle n'était pas intéressée. Il prit la mouche, partit faire sa réclame ailleurs, et je n'eus donc pas le plaisir de voir les équipes de tournage ni la jolie et jeune actrice que Noula mit trois semaines à choisir et que je découvris seulement à la télévision, dégustant la Phénix, à moitié couchée sur une plage, à Saint-Simon probablement. La première fois, on se réunit tous devant le poste au salon, Marie, Karine, Jamilé, les bonnes et moi. C'était comme si on allait assister à un événement unique, ou que Noula lui-même allât parler. La réclame passa avant le journal télévisé, quelques secondes qui nous laissèrent sur notre faim. Nous étions pourtant heureux, sauf Marie et Karine, qui apparemment savaient le prix d'une si brève apparition de la bière sur l'écran. Les ventes toutefois ne décollèrent pas, les caisses ne bougeaient pas de l'entrepôt, les camions de distribution ne roulaient pas plus pour la bière que pour le textile moribond. Nous entrions dans la deuxième partie de l'automne, et c'est alors que Noula prit la décision qui allait le mettre définitivement à genoux. Têtu, incapable de regarder la réalité en face, il décida de doubler le nombre de passages des réclames.

Lorsque, quelque temps plus tard, j'appris le coût des fameuses lubies télévisuelles en discutant avec Jamilé qui avait surpris les bribes d'une conversation de Ghosn avec sa sœur, et que je me mis à calculer, assis dans mon carré de soleil, que vingt secondes de publicité coûtaient autant que deux années de mon salaire, je fus pris d'une sorte de colère et de haine incommensurable envers Noula. Mais il n'en avait que faire, évidemment. Cet argent pour lui n'était rien, à cette nuance près que, au moment où les réclames passaient, où la jeune femme en bikini, à moitié couchée, un coude dans le sable et le buste redressé, posait lascivement la bouteille de Phénix sur ses jolies lèvres, cet argent, il ne l'avait déjà plus. Il s'était ruiné avec le montage de la brasserie, avec les silos, les réservoirs et les tunnels de pasteurisation. Il avait payé des sommes colossales pour acheter les matières premières, contractant pour cela d'importantes dettes. Il pensait rentrer rapidement dans quelques frais, mais ce ne fut pas le cas. Il s'était endetté encore pour les premières réclames, en hypothéquant la brasserie, puis le terrain sur lequel elle était bâtie. Mais pour les suivantes, et pour ce qu'il appelait, toujours de bonne humeur, le « matraquage », un terme qu'il avait dû emprunter à un membre de sa cour ou à M. Cinq-et-demi, il n'obtint que des prêts à taux élevé et n'avait plus que des terres à hypothéquer, si bien qu'il préféra user directement de ces dernières et commit l'irréparable, il toucha au saint des saints, il osa pour la première fois porter la main sur les biens fonciers des Hayek. Il vendit plusieurs terrains à Chiyyah, à Fourn el-Chebbac et à Kfarchima, en pure perte. L'échec de la bière était patent, et bientôt ses dettes devinrent un gouffre qui nécessita de vendre plus de propriétés. À la maison, on suivait ces agissements au gré des nouvelles et des rumeurs, et un silence de plomb s'était lentement abattu sur le domaine, d'autant que les femmes vivaient chacune sa vie, séparément. Elles ne mangeaient plus ensemble, se croisaient à peine, et Karine elle-même passait une part de ses journées à l'extérieur. Ce qui n'empêcha pas Mado de sortir de ses appartements à l'étage, où elle s'était retirée depuis le début des folies de son neveu, et d'exiger que l'on mît fin aux agissements de Noula. En tant que tante, elle n'avait aucun pouvoir sur le personnage, mais elle pensait que sa mère en aurait. Or cette dernière resta de marbre, puis déclara sèchement face à l'insistance de sa belle-sœur qu'elle n'avait nul moyen d'agir. Mado aurait pu alors mettre le feu aux poudres, déclencher les hostilités bien avant le temps où le destin semblait en avoir fixé l'échéance, mais elle se tut, elle n'ajouta rien, sauf qu'assurément elle devait penser que le refus d'agir de Marie était volontaire, qu'elle contribuait sciemment par son silence à la faillite des Hayek, à la destruction de leur patrimoine, que c'était sa revanche. Peut-être même était-elle déjà persuadée que tout cela ne venait pas du sang des Hayek mais de la part étrangère qui s'y mêlait dans les veines de Noula. Mais elle ne dit rien, le temps n'était pas encore venu, même si tout son être parlait pour elle, ses regards indignés, sa raideur, sa maigreur pythique et ses marmonnements.

Marie ne réagit donc pas, et après avoir dit qu'elle n'avait aucun pouvoir sur son fils elle se replongea dans un livre qu'elle lisait. De son côté, Noula était pris dans la spirale infernale, une spirale dont il aurait peut-être pu sortir s'il avait été capable d'abnégation et de ferme décision. Mais il en était incapable, il était surtout incapable de mettre un terme à ce qui donnait sens à son existence, c'est-à-dire son train de vie dispendieux, sports d'hiver, bungalow à la mer et voyages. Tout cela coûtait des fortunes, tout comme les voitures dont il changeait sans arrêt, ou les tenues de sa femme. Noula refusa d'y renoncer et, au lieu de consacrer le produit de la vente des biens patrimoniaux à éponger ses dettes, il ne cessa d'en prélever des parts pour ses dépenses somptuaires, ce qui ne fit qu'aggraver les choses. Bientôt commencèrent les sommations des créanciers, les coups de téléphone de sa banque, les rebuffades des courtiers à propos du prix qu'il estimait très bas de terrains sur lesquels il comptait, preuve que les terres de valeur étaient déjà parties. La réalité, qu'il croyait ductile selon sa volonté et ses désirs, se mit soudain à résister et lui montra son horrible face et son hostilité. Mais sans doute réussit-il une dernière fois à hausser les épaules, à se dire que ce n'était qu'une mauvaise farce de la vie, à conserver la sérénité ou l'indifférence qui avaient été siennes jusque-là, celles de toute personne n'ayant pas eu à se faire elle-même, n'ayant pas souffert pour construire sa fortune, et pour qui l'argent est une chose abstraite, facile : quand il vient à manquer, on sait qu'il y en aura à nouveau, et quand il n'y en a plus sous la main, eh bien il y en a encore forcément quelque part. C'est peut-être dans cette illusion entretenue qu'il alla un soir chez Georges Ghosn. Mais ce dernier refusa de l'aider, de lui prêter la somme qu'il demandait, et cet épisode constitua un tournant. On ne voyait plus guère Noula, il ne venait presque plus, pour éviter qu'on le questionne, et je ne sais dans quel état le plongea la fin de non-recevoir de son oncle. Il dut sentir monter en lui cette vague de chaleur que cause la panique, ses mains se mirent à transpirer et ses pensées à s'embrouiller. Mais il ne laissait rien paraître, d'autant qu'il était résolu à ne rien dire à sa femme. Il ne se voyait pas formuler devant elle la vérité, à savoir qu'il était totalement ruiné, qu'il devrait lui demander de renoncer à ses habitudes, qu'ils devraient peut-être vendre la maison, les voitures, les bijoux. Il se disait sans doute que de toute façon cela ne suffirait pas, ce ne serait qu'une goutte d'eau dans un océan. C'est elle qui le força à avouer que plus rien n'allait. Elle voyait bien que l'enthousiasme de son mari était mécanique et que ses silences étaient lourds, ses instants de distraction fréquents. Mais il voulut la rassurer, non par amour, mais parce qu'il ne concevait pas d'être jugé et d'avoir à s'expliquer. Elle ne le crut pas mais le laissa faire, parce qu'elle n'était pas prête elle non plus à renoncer à son existence et ses privilèges, et donc elle accepta de vivre quelques mois supplémentaires dans le déni. Entre-temps, dans sa solitude et son désarroi, chaque geste que Noula accomplissait était une maladresse et l'enfonçait davantage, comme ce qu'on raconte à propos des sables mouvants et de ceux qui y sont pris. Ayant essuyé un refus de la part de son oncle, il alla chez le vieux Kheir et chez Antoine Rached, en vain. Sauf que ces deux-là confirmèrent partout la rumeur sur la ruine de l'héritier des Hayek. Il se tourna ensuite vers les banques, mais celles-ci lui demandèrent des hypothèques énormes. Il ne lui restait plus que sa maison, ou alors les terrains appartenant au domaine, mais dont il partageait la propriété avec sa mère et sa sœur. Il n'osa pas venir en parler, évidemment, mais vendit les cuves, les pompes et les réservoirs de la brasserie, puis les fameuses Köber de la fabrique de textile. « On vide les fonds de tiroir », me dit le jardinier d'un ton sinistre tandis que nous assistions de loin au va-et-vient des camions qui chargeaient tout ça et l'emportaient. Je ne répondis rien mais, un matin que je voulus m'en ouvrir à Jamilé, cette dernière me fit un signe pour que je me taise, chut, il n'y a rien à dire, semblait-elle signifier, le petit fait des bêtises mais c'est quand même encore le petit, alors tais-toi.

Je me tus, me conformant au silence qui régnait sur la propriété, sur les usines, un silence qui me déprimait. Jusqu'au jour où Jamilé m'apprit une nouvelle désagréable. Noula était venu, il avait profité du fait que sa mère et sa tante n'étaient pas là – je les avais accompagnées pour leurs visites matinales, chacune à son tour, ce qui fit que je ne le vis pas non plus. Il vint parler à sa sœur, pour lui demander de lui laisser vendre un terrain à Choueifat qui était à leurs deux noms. Mais Karine refusa, elle traversait une phase difficile, cherchant l'amour sans y parvenir, sortant avec des gauchistes qui l'embêtaient avec leur rhétorique et leur dogmatisme à tout crin, avec de riches héritiers qui l'assommaient par leur conformisme, avec un aventurier qui croyait trouver du pétrole dans les sous-sols du pays mais qui ne l'amusa que fort peu. Elle était belle, Karine, et terriblement lucide face aux hommes. Noula faisait partie de ceux qu'elle regardait avec dédain et lui, parce qu'il était superficiel, la croyait légère. Il vint donc lui parler de ce terrain mais elle refusa de rien entendre. Jamilé me dit à l'oreille que le frère et la sœur s'étaient disputés. Karine signifia à Noula qu'elle n'entendait pas contribuer à financer ses frasques, Noula ironisa sur ce qu'il prenait pour sa vie délurée. Elle le somma de disparaître de sa vue, il ricana, sortit, et j'appris plus tard qu'à l'issue de cette brève visite il tenta de circonvenir plusieurs notaires pour contrefaire la signature de son frère Hareth et vendre des terrains qui étaient leur propriété commune. Il n'y parvint pas, mais c'était la preuve du total désarroi dans lequel il se trouvait. Il se débattait désespérément contre lui-même, parce qu'il était démuni, qu'il n'avait pas les armes nécessaires pour affronter une telle situation et encore moins pour affronter les créanciers, qui devenaient de plus en plus pressants. Bientôt, les dettes qu'il avait contractées se muèrent en actions en justice, puis en mouvements d'huissiers, et c'est dans un moment de panique que Noula vint finalement voir sa mère, un matin, avant qu'elle sorte. Le sourire indolent qu'il arborait pour sauver les apparences ne tenait pas, il s'affaissait en un rictus qui convenait mieux à ses traits défaits. Il dormait peu, apparemment, il me salua furtivement puis se glissa à l'intérieur et passa une heure avec Marie. Je ne sais ce qu'ils se dirent et quand il sortit je n'étais plus là, j'avais dû accompagner Mado chez une de ses parentes à Msaytbé. Mado ne se doutait pas que Noula était chez nous, et je ne lui dis rien. À mon retour, il était parti, j'ignore quelle tête il faisait en partant, mais je suis certain que c'est ce jour-là que sa mère, qui ne pouvait que s'inquiéter pour lui, lui proposa la solution explosive qui allait aboutir aux déchirements ultimes entre les femmes de la maison. Je n'ai jamais su non plus ce qui en transpira, ce que les gens autour de nous en surent, et ce qu'ils pensèrent, parce que tout cela fut très vite dominé par les bruits de la guerre qui éclata aussitôt après, comme pour couvrir le vacarme de cet épisode calamiteux et en enterrer au plus vite le souvenir. Je ne sais pas davantage ce qu'ils se dirent, la mère et le fils, ce matin-là, dans la chambre de Marie où Noula s'était glissé, s'il s'assit sur le bord du lit et elle dans le fauteuil, si elle était à sa toilette se coiffant et lui dans le fauteuil, si elle l'écouta avec compassion ou avec sévérité, s'il fut geignard ou fanfaron, s'il fit amende honorable ou pas, si elle l'écouta et lui fit des reproches, si elle fut dure ou se blâma elle-même devant lui de ne l'avoir pas suffisamment préparé à être moins désinvolte dans la vie. Il vint assurément demander quelque chose, une signature ou une procuration pour la vente d'un bien, mais sa mère ne pouvait disposer de rien, tout ce qu'elle possédait était en commun avec ses trois enfants, et le cadet n'était pas là, elle n'avait à elle qu'une part du domaine et, de ce côté-là, c'était hors de question. Mais ce qui est certain, c'est qu'en échange, parce qu'elle ne pouvait rester insensible au désarroi de son fils, parce qu'elle devait craindre aussi qu'il ne fasse des bêtises encore plus grandes, ce qui est sûr donc, c'est qu'elle lui proposa une solution, en lui assurant qu'elle allait contribuer à lui en faciliter les démarches. Et cette solution, ce n'était rien d'autre que d'aller demander de l'aide à quelqu'un dont le seul nom, évoqué sous le toit des Hayek, pouvait résonner comme le tonnerre ou attirer sur nous la foudre, un nom que l'on ne prononçait plus depuis trente ans mais qui évidemment devait errer dans les consciences et hanter les mémoires, un nom que l'on n'avait plus entendu non plus durant longtemps avant qu'il ne s'impose à nouveau, au même titre que celui qui le portait, un revenant revenu puissant d'Égypte puis d'Arabie, l'amant des temps anciens, le fatal, l'inévitable Badi' Jbeili.

11

Aujourd'hui encore, en me revoyant assis sur mon perron, face à la tache de soleil en haut des quatre marches d'escalier, je ressens la même joie secrète, le même bonheur diffus et inquiet et aussi la même étrange terreur que ceux que j'éprouvai lorsque j'appris ce que la patronne avait osé et comment cela allait faire exploser la maison, jeter peut-être l'opprobre sur nous, mais au moins mettre un terme à la lente dérive dans laquelle nous étions tous inexorablement emportés. Assise à sa toilette, tournant le dos à son fils qu'elle pouvait voir dans le miroir mais dont elle esquivait le regard en se brossant lentement les cheveux, Marie savait qu'elle s'apprêtait à franchir un pas énorme, elle frémit sans doute en prononçant le nom de Badi' Jbeili, un nom qui depuis trente ans n'avait pas franchi ses lèvres. Elle eut peut-être en le proférant le sentiment d'une horrible profanation, celle du souvenir des morts, son père, son mari, et aussi celle de toutes les règles, tous les non-dits, les sous-entendus qui pendant tant d'années avaient régi sa vie et celle de sa famille. Mais elle persista devant le désespoir de son fils et la nécessité de faire quelque chose, si bien qu'après avoir dit ce qu'elle avait à dire à Noula, après avoir prononcé le nom fatidique et s'être mise dans la situation de ne plus pouvoir se dédire, elle se leva pour écrire une lettre destinée à son ancien amant.

Ce fut un coup de tonnerre, le monde nous lorgnait, goguenard, et Jamilé me regardait d'un air sceptique. En même temps, elle avait les yeux qui brillaient, parce qu'elle ressentait le même soulagement ambigu que moi et en était tout autant scandalisée. Les vieilles histoires se réveillaient, se renouaient les anciennes légendes rapportées par sa tante Wardé et dont nous étions à notre tour désormais les spectateurs incrédules mais privilégiés. Elle m'observait, dubitative, je voyais danser dans ses prunelles la flamme de l'effroi, un effroi né de la crainte que Marie n'ait cédé à quelque faiblesse à l'égard de l'homme, parce que c'était la seule explication à cet étrange retour des choses. « C'est ça que tu crains ? insistais-je. C'est ça, non ? Qu'elle ait fini par lui revenir après toutes ces années ? » Elle me sommait alors de me taire et me regardait d'un air choqué. Pourtant c'était elle qui la première, trois ans avant la mort du patron, m'avait pris à part pour m'informer avec ardeur du retour de Jbeili, comme si elle me rapportait la suite d'un ancien feuilleton laissé en suspens. Elle l'avait vu un jour chez les Khattar de Marsad où elle était allée donner un coup de main à la cuisine chez sa cousine Wadi'a, débordée par une grosse invitation de ses patrons. Son regard avait croisé celui de Badi' qui s'était imperceptiblement arrêté sur elle, comme si elle lui rappelait quelque chose ou quelqu'un. Mais en fait c'était parce qu'elle était terriblement curieuse de lui et qu'elle le dévisageait avec insistance, à moins qu'en effet elle ne lui rappelât Wardé, sa tante. Il l'avait donc regardée, il lui avait fait un signe et elle, selon ce qu'elle me raconta, avait dû avaler sa salive avec difficulté avant de répondre d'un sourire gêné. Ce qui la stupéfiait, c'était qu'il était grand, et très charismatique. Elle imaginait un jeune homme, évidemment, à cause des histoires anciennes, et c'était un personnage d'âge mûr qu'elle avait sous les yeux. Surtout, me dit-elle alors, il était chauve, complètement chauve, ce qui lui conférait une puissance terrifiante. Son regard était coupant et dur, distant, comme si rien au monde ne pouvait ni l'intéresser ni le toucher, et soudain, quand il voulait réagir à quelque chose, une incroyable bonté se dégageait de ses yeux, leur couleur d'acier se tempérait et son sourire alors semblait vous faire comprendre qu'il y avait sur terre des gens en qui on pouvait avoir une confiance immodérée. À cette époque, je m'étais demandé si Jamilé ne s'était pas mise à vouer à ce personnage une admiration secrète. Elle glanait sur lui des histoires qu'elle venait parfois me répéter, qu'il avait fait fortune dans le fer, qu'il avait ensuite pris des actions dans des usines de plastique en Arabie et qu'il avait décidé de se réinstaller ici, qu'il y était depuis deux ou trois ans. C'est à cette époque aussi que Marie dut entendre parler de lui. Son nom à nouveau sur toutes les langues avait certainement retenti comme un gong ou comme la foudre à ses oreilles. La patronne comprit qu'il était revenu et qu'il était désormais presque aussi riche que les familles qui l'avaient rejeté naguère. Elle dut comprimer ses sentiments à l'égard de tout ce qu'elle entendait sur lui, sur ses affaires, sur les mariages de ses sœurs, qui firent jaser, sur la restauration de sa maison. Elle vécut ces quelques années en sachant qu'elle pouvait le croiser dans les soirées ou les dîners en ville, sauf que l'on disait qu'il était peu enclin à s'y rendre, gardant peut-être un souvenir cuisant d'une certaine fête dont il avait été exclu et une aversion pour le brouhaha des réunions mondaines, pour leurs confettis de lumières et de rires. Quand elle devint veuve, elle ne changea pas d'attitude, elle ne montra pas moins de rigueur avec elle-même, jusqu'à ce jour où, dans sa chambre à coucher, elle dut faire face au terrible désarroi de son fils et à sa propre impuissance. Et malgré tout ce que j'allais entendre plus tard, malgré tous les cris et toute la fureur qui allaient suivre, je reste convaincu aujourd'hui qu'elle n'agit ainsi que pour sauver son fils, qu'elle n'avait nulle autre intention, et surtout pas celle de rentrer en contact avec son ancien amant. Ce que je pense, c'est qu'elle avait juste mis ses espoirs dans la probité désintéressée de celui en qui elle avait eu naguère une confiance aveugle, et parié qu'il répondrait sans chercher à aller plus loin à une démarche dont la raison était dans sa folie même. Marie devait sentir qu'entre elle et Jbeili il y avait encore une connivence secrète, mais aussi imaginer que suffisamment de temps avait passé pour rendre sa démarche objective, pour en expliquer le naturel, et peut-être pour espérer de l'aide. Je ne sais et nul ne saura jamais comment les choses se passèrent, comment Badi' reçut Noula Hayek, qui dut lui remettre la lettre de sa mère en ignorant probablement tout des histoires anciennes. Le garçon avait été trop dévoré par sa vie pour s'occuper de celle de ses parents, et il ne fit vraisemblablement aucun effort pour scruter la réaction de Jbeili quand il lui dit qui il était ou lorsque ce dernier prit l'enveloppe cachetée par Marie, l'ouvrit et en sortit le petit mot. Mais ce qui est à peu près certain, c'est que Badi' se montra prêt à racheter les hypothèques des deux usines et à accorder à Noula un délai presque sans limite pour le rembourser, ce qui était un vrai cadeau. Au vu du poids de la dette du fils de Skandar, il proposa aussi de lui prêter de l'argent, à la condition d'obtenir l'hypothèque d'un terrain doté d'un peu plus de valeur. Or il n'y avait plus que ceux que Noula possédait en copropriété, notamment avec sa mère. Noula vint en parler à celle-ci et c'est sans doute à ce moment que Marie décida la chose la plus difficile pour elle, d'aller rencontrer son ancien amant, ce jour où, sans être au courant de quoi que ce soit encore, je l'y ai moi-même conduite.

Je ne savais pas où nous allions, ce matin-là. Je fus stupéfait quand elle me donna l'adresse et je conduisis dans un état second. Dix minutes après, je garais la voiture devant le portail du jardin des Jbeili, à Msaytbé, comme naguère le taxi qui l'y avait amenée, à la recherche de son amant. Elle mit pied à terre, entra dans le jardin, monta le grand escalier en tremblant assurément. Elle était vêtue d'un de ses superbes tailleurs de couleur, mais couvert par un manteau gris foncé, presque noir, avec un large col, sans bijoux apparents excepté des boucles d'oreilles qui se perdaient dans ses cheveux châtains et la fourrure de son col. Arrivée au sommet de l'escalier, sur le perron haut perché, elle attendit de reprendre son souffle, de calmer le tremblement de ses mains, et un oiseau que je vis passer froissa l'air au-dessus de la maison. Un ouvrier dans les vergers restaurés lança un cri, mais elle ne l'entendit pas tant elle était émue, submergée par les battements de son cœur. Elle sonna et ce ne furent pas les sœurs ou la mère de Jbeili qui ouvrirent, comme trente ans auparavant et conformément à l'histoire que Jamilé m'avait racontée ou dont elle avait imaginé les détails. C'est une servante, ou une bonne, qui la fit entrer. Elle foula de magnifiques tapis, elle attendit dans un fauteuil du salon, une porte s'ouvrit du côté des chambres, puis il y eut un long silence et enfin elle vit arriver vers elle celui qu'elle avait quitté jeune homme et qui était maintenant ce grand personnage charismatique et chauve, puissant et riche. Au retour, je m'empressai d'aller tout raconter en chuchotant à Jamilé, qui ouvrit de grands yeux, mais nous ne pûmes conjecturer bien longuement, parce que le surlendemain l'autre, l'infernale habitante de l'étage, entra en scène et tout s'éclaira. Et si nous n'avons évidemment jamais su ce qui se passa dans la maison des Jbeili tandis que j'attendais dans la voiture, brûlant du désir d'aller rapporter à Jamilé ce scoop incroyable et incompréhensible, on peut néanmoins l'imaginer, parce que Marie n'y resta pas longtemps. Elle ne pouvait se le permettre, elle ne dut pas même enlever son manteau, elle posa ses gants devant elle, sur un guéridon, et, dans un effort immense pour ne parler que de la question des hypothèques, s'engagea dans un petit discours sur la situation où son fils se trouvait. En sortant, elle était confortée dans l'idée que Jbeili était bien l'homme qu'elle avait connu, capable de générosité aveugle. Mais elle avait probablement compris aussi que s'il avait cédé à tout ce qu'elle demandait, et en particulier à propos de l'hypothèque du terrain qu'elle possédait en copropriété avec Noula et pour lequel il accepta les mêmes conditions que pour les usines, ce n'était pas seulement par générosité. Les regards de l'amant ancien, sa fébrilité même, son envie manifeste de régler rapidement cette question pour en arriver à parler d'autre chose, une envie qu'elle avait aussi, violemment, mais qu'elle réussit à dominer, tout exprimait un autre message. Je me souviens parfaitement du visage de ma patronne sur le chemin du retour. Je l'observais discrètement dans le rétroviseur, elle avait déboutonné son manteau et laissé la vitre baissée. Le vent s'engouffrait dans l'habitacle et Marie le recevait en pleine figure avec un air de saisissement cruel et douloureux qui semblait la réjouir tandis qu'il faisait voler ses cheveux, ce dont elle ne se souciait pas, les laissant retomber sur ses yeux et ses joues, les relevant par moments, et alors apparaissait un sourire qui illuminait son visage, un sourire comme je ne lui en avais pas vu souvent. Mon trouble était immense, et même s'il m'est apparu dès le lendemain qu'elle avait choisi de se faire conduire par moi afin de couper court à tout bavardage au sujet de cette visite, je ne peux m'empêcher encore aujourd'hui de me dire que cet air était assurément celui d'une mère qui pense avoir réussi à sauver son fils du désastre, mais aussi celui d'une femme qui pour un instant a retrouvé le bonheur de sa jeunesse.

Cela fut néanmoins de courte durée. Deux jours après seulement, Mado entra en scène, avec sa mine scandalisée, ses yeux fulminants et son allure de spectre famélique et terrible. À l'heure du déjeuner, elle descendit l'escalier d'un pas rageur mais contenu, une attitude que Marie lui connaissait et à laquelle elle n'accorda pas d'importance. La patronne était déjà assise à table. Mado s'installa et au bout d'un instant demanda froidement à sa belle-sœur si elle était au courant que Noula avait vendu les usines à Badi' Jbeili.

« Il ne les a pas vendues, répondit Marie. Jbeili va racheter les hypothèques à la banque.

– Tu es donc au courant », dit Mado, sarcastique.

Ce midi-là, j'aidais au service parce que les bonnes étaient occupées à rentrer le linge avant la pluie. Cela m'arrivait parfois, et il fallut que cela arrive en ce jour terrible. Au commencement, je mis toute ma bonne volonté à me rendre le plus transparent possible, pour me concentrer sur les plats que j'apportais de la cuisine, sur la répartition des salières et des couverts sur la table. Mais j'étais terriblement distrait, car, quand j'entendis ce premier échange, les choses commencèrent à s'ordonner dans ma tête – la visite de Noula à sa mère, celle de Marie à Jbeili. Reparti à la cuisine pour éviter d'être témoin de la tempête qui s'annonçait, tel un simple mortel essayant de fuir un combat entre les dieux auxquels il n'a pas le droit d'assister, j'annonçai laconiquement à Jamilé que j'avais tout compris, que ça allait barder, et elle, impatiente, me délégua littéralement dans la salle à manger. Je ressortis au moment où Marie disait quelque chose qui ne pouvait qu'augurer de grandes calamités. Elle disait, mais avec distance :

« Non seulement je suis au courant, mais c'est moi qui l'y ai envoyé. »

Je baissai les yeux pour bien faire comprendre que je ne participais pas à la conversation, que je ne voulais rien entendre, mais je vis l'ironie se dessiner sur les lèvres de Mado.

« Il n'y avait plus d'autre recours que cet homme ? demanda-t-elle.

– Non, répondit Marie. Et tu le sais bien.

– Ce que je sais, dit Mado d'un ton onctueux et provocant, c'est que cet individu ne nous est pas totalement inconnu. »

Je souhaitais retourner précipitamment vers la cuisine, et en même temps quelque chose me retenait. Je pris un saladier pour l'approcher de Mado et j'entendis Marie répondre que c'étaient des histoires anciennes.

« Certes, mais qui les prendra pour telles ? demanda Mado sèchement. Pourquoi provoquer les ragots ?

– Quels ragots ? reprit vivement Marie.

– Tu le sais bien, Marie, ne sois pas stupide. »

Je me raidis imperceptiblement, parce que les relations entre les deux femmes n'admettaient pas qu'elles se parlent de cette manière. Ce mot « stupide » était une véritable provocation. Pourtant, Marie ne réagit pas, elle prit une minuscule bouchée de tarte, et je compris qu'elle avait décidé de ne pas répondre, de faire comme si Mado n'avait pas prononcé cela devant elle. Ce fut l'ultime tentative de la patronne pour sauver ce qui pouvait l'être encore. Mais Mado enfonça le clou :

« Tu sais bien ce qu'on raconte.

– Non, je ne sais pas, répondit Marie avec humeur.

– Tu le sais parfaitement, ne fais pas l'innocente.

– Eh bien, ce qu'on peut raconter est absurde. Tout le monde sait que Badi' et moi, ce sont des histoires très anciennes.

– Justement.

– Justement quoi ? »

Je sentais bien qu'il eût fallu que je décampe, mais au lieu de retourner à la cuisine, où je devinais que Jamilé trépignait, je trouvai le moyen d'aller jusqu'à la fenêtre pour la refermer parce que le vent humide commençait à siffler, mais sans que mes oreilles ne s'éloignent de la table.

« Justement, ce sont ces histoires anciennes qui font jaser, disait Mado simplement, mystérieusement.

– Parle plus clairement ou tais-toi », s'emporta alors Marie, qui continuait à faire mine de manger.

Mado posa sa fourchette, choquée par l'injonction à se taire, et prit un ton glacial :

« Tu ne t'es pas demandé quelles questions les gens allaient se poser ? "Pourquoi est-ce qu'elle a envoyé son fils chez cet homme ? Pourquoi cet homme a-t-il décidé d'aider son fils gratuitement ?" et tout ce genre de commérages.

– Et comment répondront-ils à ces questions ?
– Tu le sais très bien, dit Mado.
– Je n'en ai pas la moindre idée.
– Réfléchis, voyons… persifla Mado. Ce garçon est tête en l'air, dépensier, léger, contrairement à son père et ses grands-pères. Il ne ressemble en rien aux Hayek.
– Si tu veux insinuer qu'il ressemble aux Ghosn, rétorqua naïvement Marie, alors ça ne change rien, les Ghosn sont une copie conforme des Hayek. »

J'eus envie de sourire, mais je me retins et revins vers la table pour enlever les assiettes des entrées.

« Il ne ressemble ni aux Ghosn ni aux Hayek, martela Mado. C'est bien le problème. »

L'énormité de l'allusion empêcha Marie de la saisir sur le coup, et moi aussi. Mais le mal était fait. J'avais les assiettes à la main, et je dus repartir à la cuisine, à mon grand regret. Jamilé était assise du bout des fesses sur une chaise et m'attendait. Elle me lança un regard brûlant d'interrogations. Je chuchotai : « Plus tard, plus tard », posai les assiettes et, me retournant pour ressortir, j'hésitai. « C'est épouvantable, murmurai-je. Je ne devrais peut-être pas y aller. » Au contraire, c'est le moment, sembla me signifier Jamilé, et à cet instant des éclats de voix retentirent en provenance de la salle à manger. Je me précipitai, pour découvrir que les deux femmes s'étaient levées. Mado avait un air outré, elle avait dû entendre quelque chose qui n'était pas à son goût, et avait probablement rétorqué de manière si offensante que je vis Marie, ma patronne toujours si noble, toujours plus grande que les choses et que l'adversité, toujours calme, supérieure, aristocratique, je la vis s'approcher rageusement de sa belle-sœur et saisir son poignet rachitique. Mado tenta de se dégager mais en vain, Marie la tenait d'une main de fer. Ses jolis doigts soignés et ornés d'un rouge incarnat servaient de tenaille tandis que froidement mais superbement, avec une sorte de provocation intense, passionnée, elle disait :

« En revanche, il faut que tu saches une chose, c'est que j'ai tellement aimé cet homme, je l'aimais encore tellement après mon mariage et pendant ma grossesse, qu'une part de cet amour a dû passer dans les gènes de l'enfant. Cela, oui, c'est vrai. C'est comme ça peut-être que ce garçon est de lui, pas autrement. »

Il est inutile que je m'étende sur ma sidération, je nc savais plus comment me cacher, disparaître, je ne voulais pas que ma patronne sache que j'avais entendu ces mots, par souci pour elle et parce que je craignais que, les ayant entendus, je ne sois condamné à devoir quitter mon poste, car il y a des choses que les serviteurs ne doivent pas entendre, comme il y a des indiscrétions pour lesquelles les dieux punissent les hommes. Mado, qui avait cessé de se débattre, écoutait Marie en la toisant d'un air entendu et avec le dédain de celle qui est confortée dans ce qu'elle avait de tout temps pensé. Mado m'avait vu, et je crois qu'elle était suprêmement heureuse de ma présence, comme si un témoin, un seul, suffisait pour disséminer la nouvelle de l'opprobre afin que le monde entier en eût connaissance. Marie me voyait également maintenant, mais n'en avait cure, elle n'avait plus rien à cacher. Elle était superbe dans sa colère passionnée. Emportée par cette occasion de formuler enfin sa passion, de la hurler à la figure de la représentante la plus obtuse du clan Hayek, elle ajouta :

« Je n'ai pas cessé de penser à cet homme un seul instant, y compris lorsque je concevais mes enfants. Tu comprends ça, tu le comprends ? »

Devant tant d'impudeur farouche et fière dont je croyais ma patronne incapable, je crois que je rougis, je sentis le sang de la honte me monter jusqu'aux oreilles, je baissai la tête, je regardai mes chaussures. Il m'aurait fallu ressortir mais je n'y parvenais plus. Dans la stupeur qui figea le monde autour de nous, j'entendis Mado ricaner :

« Le résultat est beau. Un déserteur et un noceur ! »

Puis elle dégagea son poignet, ou c'est Marie qui le lâcha en lui jetant des paroles terribles à la figure :

« Tu oses parler de résultat ? Tu ne t'es pas regardée, toi ? Mais je sais ce que c'est, c'est de la jalousie, et rien d'autre ! Tu crèves de jalousie depuis le premier jour, parce que, moi, j'ai aimé un homme et qu'il m'a aimée. »

La poitrine de Mado se souleva, ses épaules aussi et elle marmonna :

« Tais-toi, tais-toi. »

Je craignis qu'elle ne lève la main sur la patronne pour la forcer à se taire. Je ne savais vraiment plus que faire, je rangeais les couverts, les assiettes propres, le sel, le poivre, les couteaux, je faisais tout de travers, j'avais envie de détaler, mais Marie poursuivait :

« Alors que toi... »

Et l'autre répétait :

« Tais-toi. Tais-toi, garce ! »

Oui, elle traita de « garce » Marie Hayek, ma patronne, le modèle de la femme noble et douce, elle la traita de « garce », mais Marie ne l'entendait même plus, et poursuivait, insensible :

« Alors que toi, tu as été jetée comme un vulgaire chiffon, et plus personne ne t'a regardée. »

J'eus vraiment peur que cela ne finisse en pugilat. Je me ressaisis, je m'apprêtai à m'interposer, je regardai désespérément du côté de la porte de la cuisine, et c'est alors que Marie proféra les paroles fatidiques, celles qui allaient décider de la suite calamiteuse des événements.

« Et ce qui te tue aujourd'hui, acheva-t-elle donc, c'est que c'est l'homme qui m'a aimée, moi, qui va nous sauver tous. »

À ces mots, Mado soudain sembla revenir à elle, ses épaules retombèrent, sa poitrine gonflée par l'indignation retrouva son état normal, et son regard affolé redevint sec, froid, exprimant comme un inquiétant et incompréhensible triomphe. Puis elle sourit d'un affreux rictus.

« C'est là que tu te trompes, dit-elle. Parce que je t'assure que, moi, je ferai tout pour que cela n'arrive pas. Je préfère que les Hayek et leur maudite grandeur soient effacés à jamais de la surface de la terre plutôt que de les voir persister grâce à toi et à ton amant. »

Et elle mit ses paroles à exécution. Je ne savais pas qu'il lui restait encore tant de hargne et tant d'appuis, tant d'avocats prêts à la seconder et prêts aussi à la ruiner en l'aidant à achever de ruiner les siens. Elle réussit à faire échouer la vente des hypothèques des deux usines, et engagea une action en justice pour irrégularités dans celle du terrain de Marie et Noula. Pour la contrer, Marie dut accepter les avocats que Jbeili proposa à son fils, car plus personne ne voulait travailler directement pour ce dernier. Mais ce fut inutile parce que le temps qui passait en procédures ne pouvait qu'aboutir à la saisie des usines et ainsi à l'amputation d'une part énorme du domaine, presque jusqu'aux limites du chemin qui menait au portail en face duquel je me tenais. C'était aberrant, et je garde de tout cela un souvenir cauchemardesque, j'étais au cœur de la tourmente, comme Jamilé, comme les bonnes et comme le jardinier. Nous ne parlions plus qu'en chuchotant, comme si en haussant la voix nous eussions pu contribuer à accroître l'affreux désordre qui régnait. Les femmes ne se voyaient plus, ne communiquaient plus. J'accompagnais Mado en ville où elle passait des matinées entières, je l'attendais devant des banques, des études de notaires et d'avocats, elle ne s'adressait presque jamais à moi, sauf pour me donner des ordres, « gare-toi ici, attends-moi là ». J'évitais de croiser son regard dans le rétroviseur, mais je la dévisageais discrètement et j'essayais de déchiffrer cette incroyable combativité qui se dessinait sur son visage et semblait mystérieusement le rajeunir. J'entretenais volontairement un silence lourd dans la voiture pour la faire craquer, pour qu'elle parle, s'emporte, dise quelque chose, s'explique ou revienne sur la séance de cris à laquelle elle savait que j'avais assisté, mais elle tint bon, et ne sortit jamais de son mutisme hautain. À la maison, Marie continua à tenir la barre avec fierté, comme un capitaine sur un navire en difficulté. Elle menait le train de la demeure et donnait ses consignes, mais avec un air absent qui m'inquiétait. Jamilé et moi lorgnâmes alors vers la troisième femme, c'est-à-dire vers Karine, en espérant qu'elle agirait. Cette dernière voulut comprendre ce qui s'était produit lors de la dispute. Jamilé lui ayant rapporté que j'y étais, elle vint me trouver, s'assit près de moi sur le perron et m'écouta, les sourcils froncés, les yeux traversés de sombres éclairs. Elle disparut quelques jours, durant lesquels elle dut observer de loin sa mère et sa tante, puis elle reparut pour tenter une médiation. Sa mère lui dit : « Fais comme tu veux, je suis prête », et Mado, qui la reçut, lui parut, me dit-elle, plutôt sereine, calme, voire joyeuse – et c'était ce que j'avais étrangement perçu moi aussi, et que je ne m'expliquais pas, sauf à la considérer comme folle. Quand Karine voulut entrer dans le vif du sujet, Mado lui annonça que les dés étaient jetés, qu'il fallait parfois savoir prendre des décisions douloureuses, et qu'on ne pouvait se permettre de tomber sous la coupe des étrangers. Sauf que c'était ce à quoi elle nous exposait en agissant ainsi, car il devenait évident que les usines allaient bientôt être saisies, en même temps que l'immense parcelle sur laquelle elles étaient bâties. Dans un ultime sursaut, Karine essaya alors d'aller obtenir la médiation des alliés des Hayek, et elle me demanda de l'accompagner. Mais Henein aussi bien qu'Antoine Rached lui expliquèrent que, si sa tante agissait mal, sa mère en avait fait tout autant, et ils furent tous deux si effrontément misogynes dans leurs commentaires, et en apparence si satisfaits de considérer que la gestion des femmes amenait un monde à sa ruine, que Karine sortit de chez eux furieuse. Finalement, Noula arriva un matin avec la ferme intention de monter implorer Mado. Il était défait, amaigri, les yeux brûlants, Marie l'intercepta et tenta de l'entraîner dans le grand salon pour lui parler, mais il se débarrassa d'elle presque avec colère alors qu'elle essayait de le retenir par la manche et eut un regard hargneux envers sa sœur qui s'apprêtait à intervenir. Je craignis qu'il n'y eût une nouvelle scène, ma patronne disait à son fils : « C'est exactement ce qu'elle veut, que tu te traînes à ses pieds, et que tu me renies. » J'en voulus à Noula pour son mouvement à l'égard de sa mère, pour le geste par lequel il montra que ce qui lui importait c'était lui, lui, rien que lui, toujours et en toute circonstance. Je l'aurais tabassé, piétiné, mon indignation était immense lorsque je le vis malgré tout monter vers les appartements de sa tante, pour la supplier, tomber à ses genoux comme elle en rêvait probablement. Dieu sait ce qu'elle exigea de lui, qui devait être si énorme qu'il ne put même pas l'accepter, alors qu'il semblait prêt à tout renier pour se sortir d'affaire. Il redescendit encore plus défait, et en colère contre lui-même. Marie sortit du salon et cette fois il accepta de la suivre. Elle lui proposa de parer au plus urgent avec ce qui lui restait à elle, quelques bijoux et surtout son solitaire, la chose sans laquelle une femme comme elle perdait son rang. Et cet abruti qui l'avait bousculée en entrant accepta de ressortir avec ses dernières richesses, des richesses dont elle se dépouilla comme on se dénude. Il la prit dans ses bras, les larmes aux yeux, dans une scène mélodramatique que Marie, qui n'était pas dupe, supporta avec impatience, rigide et glaciale, tandis que là-haut un affreux rictus de triomphe se dessinait certainement sur le visage de la terrible Mado, et que nous, le chauffeur, les cuisinières, les bonnes, le jardinier, qui assistions impuissants à cet effroyable gâchis, n'avions qu'une seule pensée, mais que nous n'osions même plus formuler, que nous percevions dans les regards que nous échangions ou dans les soupirs que nous laissions échapper discrètement, à savoir que si Hareth, le fils cadet, avait été présent, s'il était revenu de ses interminables et incompréhensibles tribulations, nous n'en serions peut-être pas arrivés là.

12

Ces événements se passèrent au printemps de 1975, une année que je pensais funeste pour nous, pour les Hayek et pour leur pouvoir, sans que je pusse me douter, ni quiconque d'ailleurs, qu'elle le serait en réalité pour tout le monde. En mars, les biens des Hayek tombèrent entre les mains des banques et en avril c'est le pays entier qui s'effondra. Évidemment, avec ce que nous endurions, nous n'avions rien vu arriver, et je me suis souvent dit que, si le patron avait encore été là, nous aurions suivi de bien plus près les bouleversements du monde autour de nous. Nos problèmes internes nous empêchèrent de voir la situation dégénérer, ils ne nous permirent pas d'offrir autre chose qu'une oreille distraite aux fusillades qui éclataient fréquemment entre les hommes des partis chrétiens à Ayn Chir et les combattants de l'OLP à Hayy el-Bir, ou de donner l'importance qu'elles méritaient aux rumeurs de disputes, d'enlèvements ou de coups de main nocturnes. Le fait qu'il n'y eût plus d'usines en marche fit que nous n'avions même plus à subir les rackets et toutes les pressions qui contribuent à alerter sur l'état des choses. Tandis que Noula sombrait, que Mado et Marie se déchiraient, le pays allait à la catastrophe sans que nous nous en souciions. Pourtant, je continuais à discuter avec mes compères, le facteur, le livreur de la teinturerie, et le marchand de journaux qui ne cessait pas de lancer ses liasses au pied de mes quatre marches. Je les saisissais en maugréant, parcourais les titres récurrents sur les accrochages de Tell el-Zaatar, les manifestations des partis de gauche, les menaces de l'OLP, la sécession des régions méridionales, les bravades des partis chrétiens et celles de leurs rivaux dans les partis sunnites. Mais tout ce cirque me semblait éternel, comme s'il existait depuis des siècles et devait durer encore des siècles, exactement comme le passage des marchands ambulants devant le portail, comme la cueillette des oranges ou le ramassage des pignons sur les pins, comme le vacarme des cigales en été, comme le vent incessant de juillet, comme les ombres des vergers dans la lumière de la pleine lune ou le froufrou des chauves-souris sous les ramages. Et c'est parce que je tenais la marche chaotique du monde autour du domaine comme un fait de nature qui m'avait précédé et qui me survivrait que la seule chose qui me stupéfia, qui me parut incroyable et scandaleuse, ce ne fut ni les premiers accrochages ni notre position à la limite même des lignes de front en train de se dessiner, mais bien la saisie des usines et des terres qui les entouraient. Assis sur mon perron en compagnie du jardinier qui s'approchait pour causer appuyé du coude à la rampe, j'essayais de délimiter abstraitement les nouvelles frontières réduites de la propriété, esquissant du doigt les dimensions des orangeraies perdues, des oliveraies à moitié abandonnées aux banques, et l'horizon des eucalyptus derrière lesquels se dissimulaient les fabriques, m'interrogeant sur ce qui était toujours à nous et ce qui ne l'était plus et regardant le chemin qui allait au portail, ce portail par où devait arriver

Hareth, dont je me demandais ce qu'il pensait de tout cela à ce moment, et si même il en pensait quelque chose. Personne, me dit-il plus tard, ne l'avait mis au courant, personne ne lui avait parlé des déchirements familiaux, et d'ailleurs comment lui en parler, alors qu'il était si loin, alors qu'on ne parvenait jamais à comprendre ce qu'il faisait ni où il se trouvait au juste ? Il me raconta qu'il n'apprit la mort de son père que des mois après qu'elle se fut produite, par une lettre qu'on lui envoya chez son compatriote et associé, et que l'on fit suivre ensuite jusqu'à ce qu'il finisse par la recevoir, fripée, usée, surchargée d'adresses successives. Il était aux Comores, et lorsqu'il la lut il se précipita pour téléphoner. Il parla à sa mère et à sa sœur et aussi à Mado et à son oncle, qui devait être là par hasard. Il était fermement décidé à rentrer mais il réalisa que cela datait de plusieurs mois déjà, et il se demanda à quoi servirait désormais qu'il revînt. Il vécut son deuil avec un grand décalage temporel, ce qui accrut le sentiment d'irréalité où il se trouvait. Il se mouvait dans un univers fantomatique, exclusivement habité par la puissante personnalité de son père, qu'il voyait partout, en toute chose, et qui prenait la forme du monde autour de lui, avant de s'en retirer lentement, comme une marée qui l'aurait submergé avant de le laisser démuni et solitaire.

Quelque temps auparavant, ses aventures avaient pris un autre cours. Le propriétaire de l'un des navires qu'il utilisait pour le commerce de la lavande lui avait proposé de lui vendre son rafiot pour une bouchée de pain. Il était endetté et avait besoin d'argent. Hareth acquit le bateau, un vieux boutre en bois, et en acheta un autre à un capitaine comorien qui voulait ouvrir un commerce à Moroni. « Je devins armateur, tu crois ça ? »

me raconta-t-il par la suite, et il se permit même de s'offrir un troisième bateau, un peu plus confortable. Avec ça, il imagina qu'il pourrait désormais faire ce qu'il voulait, aller librement avec sa flotte vers l'Inde, par exemple, puis caboter jusqu'en Malaisie et aux Célèbes, juste pour le plaisir, il avait assez d'argent pour la vie qu'il menait. À la nouvelle de la mort de son père, il vit dans la navigation lointaine un bon palliatif, plutôt que de revenir s'enfermer à Ayn Chir. Mais, bientôt, les perspectives changèrent. À Mascate, où il avait réuni sa flottille, un vieux colonel français à la retraite lui offrit beaucoup d'argent pour un passage vers les îles du Verseau, un archipel qui ne s'appelle plus ainsi aujourd'hui mais dont je ne me souviens plus du nom actuel. Cet ancien militaire voulait y débarquer et y restaurer une vieille monarchie renversée depuis une décennie, il était au service d'un descendant des sultans des îles, un jeune homme à l'allure de lord anglais qui parlait avec un accent britannique, qui avait hérité d'entreprises commerciales importantes, mais dont le rêve était de recouvrer le trône perdu par son grand-père. Quand Hareth me raconta cela, je partis d'un grand éclat de rire. Il admit que c'était cocasse, d'autant que cet archipel minuscule, qui commandait le cœur de l'océan Indien, était dirigé par une junte acquise aux Américains et au gouvernement de New Delhi, et que les Soviétiques acceptaient cette mainmise en espérant qu'on tolérerait en échange leur ingérence dans les affaires de l'Afghanistan. Le débarquement sur les îles et leur reconquête étaient dès lors un projet aberrant, contraire à toutes les logiques et à la géopolitique mondiale. « Mais c'est pour ça qu'il nous plaisait, me dit Hareth. On allait montrer que l'on pouvait encore réaliser des actions folles et anachroniques et restaurer des royautés inutiles. » Tandis qu'il parlait, je songeai qu'il n'avait finalement pas grandi, qu'il me répétait les mêmes choses que lorsqu'il était enfant. Puis je me persuadai qu'il inventait tout ça pour justifier ces années perdues et qu'il allait bientôt prétendre qu'il avait débarqué avec ses mercenaires, qu'il avait contribué à l'occupation des plages de cet archipel dont j'ai oublié le nom actuel, de sa petite capitale, de son casino et de son palais royal.

Mais il n'y eut pas d'opération de débarquement. Il attendit des mois et des mois, ses bateaux restèrent bêtement à quai, et lui passait de son côté ses soirées chez le sultan et homme d'affaires à boire du whisky et à jouer aux échecs. Il rencontra aussi quelques-uns des mercenaires, des Italiens et des Anglais qui traînaient sur le port ou faisaient du trafic, et s'acoquina avec l'un d'entre eux, un Français qui avait une carrure d'armoire à glace et des tatouages sur les bras mais qui lisait des romans sur un aventurier californien devenu milliardaire et des poèmes sur un train russe. « Je me lie toujours avec des Français nostalgiques », plaisanta-t-il, et il ajouta qu'après Rivière il s'était attaché un gars qui portait le nom de Torran, et il dut m'expliquer pourquoi cela était si drôle. Il me décrivit les heures passées avec ce Torran dans les cafés arabes ou dans le hall de son hôtel à discuter de littérature. Ce singulier mercenaire avait un œil bleu et un œil vert, paraît-il, et rêvait d'écrire un livre inspiré de sa vie, dont il montra à Hareth plusieurs ébauches. Pendant ce temps, les embûches se multipliaient devant l'expédition et le projet d'invasion des îles du Verseau. Tantôt un navire américain était en visite dans la capitale de l'archipel, tantôt les conflits entre l'Inde et le Pakistan mettaient trop la lumière sur la région, empêchant toute action.

« Il y a un conte où des hommes attendent des mois que le vent leur soit propice pour partir à la guerre, me dit Hareth. Nous, c'étaient les vents de l'Histoire dont nous attendions qu'ils tournent en notre faveur. » Mais apparemment ils ne tournèrent pas, sauf que Hareth n'en fut pas très fâché parce que, dans l'intervalle, il connut aussi une femme, celle d'un diplomate afghan, mais tellement plus jeune que son mari qu'elle paraissait sa fille. C'est ce qu'il crut au début, lorsqu'il lui fit la cour avant de s'apercevoir qu'elle était mariée. Mais elle se laissa courtiser, parce que son mari était en permanence absent. Pour être tranquille et pouvoir se libérer de ses chauffeurs et des secrétaires de son époux, elle fit passer Hareth pour son professeur de français. Le comble, me dit-il, c'est qu'elle parlait parfaitement français, elle avait fait toutes ses études au lycée de Kaboul, mais ce mensonge si gros les faisait rire et donnait à leur relation un aspect surréaliste. Elle devait être belle, cette jeune femme, pour qu'il en fût amoureux à ce point, il me la décrivit brune, grande et les yeux taquins, à moins que ce ne soit moi qui l'aie imaginée ainsi. Elle l'écoutait lui raconter qu'il avait tiré au revolver contre des pirates de l'océan Indien et que, sous le panache des constellations que l'on pouvait toucher de la main dans le désert, des Palestiniens en déroute s'étaient amusés à lui apprendre le maniement de la kalachnikov, mais que c'étaient les guérilleros mozambicains qui l'avaient initié au tir. Elle le prenait pour un aventurier, il lui décrivait la beauté des travailleurs massaï de Zanzibar à qui il avait eu affaire, pareils à des œuvres d'art et à côté desquels tous les autres hommes, et les Blancs en particulier, semblaient d'affreux brouillons sur lesquels ces grandes statues d'ébène condescendaient parfois à se pencher. Elle riait et tentait de lui apprendre le pachtoune, qui est resté pour lui la langue de l'amour. Le soir, il venait secrètement la chercher à sa résidence d'où elle sortait couverte d'un voile noir. Ils allaient sur des plages désertes, il faisait du feu, elle se dénudait sur le sable et dansait pour lui les seins nus en tournant le dos à la mer et en lui demandant si elle était un brouillon elle aussi. Or elle l'était si peu, elle était si belle, me dit-il, que lorsqu'un jour il apprit qu'elle partait, que son mari l'envoyait en avance à Téhéran où il allait être nommé, il décida qu'il la rejoindrait. Et il la suivit en effet, laissant ses trois bateaux en location au sultan homme d'affaires, mais en emmenant avec lui le mercenaire Torran, qui rêvait de l'Iran, de l'Asie centrale et des dômes bleus de Samarkand. Et c'est en arrivant à Téhéran, sur une télévision en noir et blanc de l'hôtel, qu'il vit les premières images des combats qui se déroulaient à Beyrouth. Il essaya de téléphoner mais en vain, car des fusillades éclataient par intermittence presque sous nos fenêtres et les téléphones ne fonctionnaient plus très bien.

Je ne sais à quel moment au juste il vit ce qu'il vit à la télévision, parce que tout ne s'effondra pas immédiatement. Au début, cela ressembla à ce qui s'était passé en 1973, sauf que cette fois c'étaient les milices chrétiennes qui faisaient le coup de feu contre les Palestiniens. Mais ce furent les mêmes silences dans les rues, les mêmes rafales sporadiques de mitrailleuses, et parfois une sourde explosion qui faisait lever les têtes et observer l'horizon du côté de Hayy el-Bir, un horizon qui pourtant paraissait paisible. On était au printemps, il y eut une première bouffée de violence, puis une autre quelques semaines après, puis encore une au début de l'été. Chaque fois, tout semblait rentrer dans l'ordre, et l'on voulut se persuader que le monde allait continuer de tourner comme il l'avait toujours fait, avec cette différence capitale qu'il ne tournerait désormais plus autour de la maison et de la grandeur des Hayek. Avec le jardinier, on se demandait quelle forme concrète allait prendre la mainmise des banques sur les usines et les terres du côté sud-ouest, si ce seraient des fils barbelés ou si on détruirait carrément les bâtiments. Mais il ne se passa rien, parce que les banques ont tout leur temps, et que, même si on se précipitait allègrement vers le gouffre, elles pouvaient attendre qu'on en sorte, fût-ce au bout de cent ans. D'ailleurs, nous aussi nous vivions comme si tout allait perdurer, comme si le tissu des jours ne pouvait jamais se déchirer, et moi, j'aimais sentir se nouer et se dénouer autour de moi les gestes quotidiens parce qu'ils étaient comme la preuve de l'éternité du monde et des choses. Je n'avais cessé d'aimer la sarabande des bonnes, celle qui chantait en passant la serpillière pieds nus sur le dallage frais, celle qui mettait le volume de la radio trop haut avant de le baisser sous les cris de Jamilé, ou cette jolie Kurde que je surpris involontairement, en passant devant la fenêtre de sa chambre, en train de se contempler devant le miroir tandis qu'elle défaisait son chemisier, et que j'espionnai en faisant discrètement un pas en arrière pour la regarder lentement défaire son haut, puis dégrafer son soutien-gorge, puis libérer ses deux superbes seins, lourds et droits, qu'elle se mit à caresser amoureusement et comme son bien le plus cher. J'aimais ce sentiment que tout allait durer toujours, avec la même population diverse et variée passant par le portail, les marchands des quatre-saisons qui s'arrêtaient et attendaient la ruée des servantes puis la lente et cérémonieuse arrivée de Jamilé, la camionnette du pressing qui entrait tous les mardis et le vélo du poissonnier tous les vendredis, et aussi les démarcheurs et les représentants que j'étais chargé de reconduire mais que je laissais arriver jusqu'à mon perron, comme ce singulier représentant en poignées de porte qui avait toutes sortes d'accessoires aux formes bizarres dans une petite valise et qui prétendait que l'on ne pouvait vendre des poignées de porte sans être un expert dans l'art de mouler ses mains et ses paumes sur leurs formes comme sur celles d'une femme, et que les meilleurs amants étaient de ce fait et indubitablement les représentants en poignées de porte. Tout cela donc dura jusqu'à la fin de cet été comme si rien ne devait jamais changer, sous le grand concert des cigales, sous le vent de juillet, avec les bonnes qui secouaient les nappes au-dessus de la rambarde et en profitaient pour rêvasser un moment, avec Jamilé qui embaumait le savon à la rose en sortant de la douche l'après-midi et qui venait se tenir près de moi, les cheveux enroulés dans une grande serviette comme une princesse indienne, et avec Karine revenant le soir des plages de Saint-Simon dans une robe légère, bronzée et le regard brillant, tout cela dura et semblait pouvoir durer encore longtemps, jusqu'à ce que, au début de l'automne, les choses basculent une nouvelle fois.

Tout se dérégla en même temps, à Tripoli, à Zahlé et enfin à Beyrouth. Bientôt on recommença à se tirer dessus entre Ayn Chir et Hayy el-Bir, et pour la première fois la proximité des rafales était telle que je ne m'asseyais plus sur le haut du perron. Je passais ma journée dans la cuisine avec Jamilé et les bonnes terrorisées. Sur un transistor, nous avions quelques informations intermittentes, et chaque fois que le nom de Ayn Chir apparaissait dans l'énumération des lieux de combat tout le monde se regardait d'un air effaré, comme si entendre la nouvelle à la radio donnait consistance et vérité à ce que nous vivions pourtant en permanence, sous forme de tirs violents ponctués de retentissantes explosions. Puis nous reçûmes une première salve de six ou sept roquettes qui tombèrent dans les vergers en faisant un terrible vacarme. Les vitres volèrent en éclats, les bonnes se mirent à crier et s'éparpillèrent dans la maison où il fallut les tranquilliser, donner de l'eau sucrée à l'une, faire asseoir l'autre. Jamilé feignit le calme à la manière d'un chef qui ne doit pas laisser voir son inquiétude, mais c'est Marie qui fut la plus sereine et qui montra l'exemple, ce qu'elle ne cessa plus de faire par la suite. Elle envoya s'enquérir à l'étage de sa belle-sœur qui même dans ces circonstances ne paraissait pas, et m'interdit de sortir pour aller constater les dégâts. Au matin, je découvris les points d'impact, du côté des orangers de l'ouest, où les arbres avaient été arrachés et une partie du mur de clôture détruit. Je rapportai comme un trophée un éclat de métal que Marie trouva affreux et qu'elle m'ordonna avec mépris de jeter à la poubelle. Mais, la nuit suivante, un gros obus tomba du côté de la brasserie. À l'aube du surlendemain, un autre s'écrasa sur le bord du garage et il nous fallut alors admettre que la villa était effroyablement mal située. Nous n'étions séparés de la route de Sayda, devenue la ligne de front entre les quartiers chrétiens et ceux tenus par les Palestiniens et les chiites, que par un pâté d'immeubles, des immeubles qui faisaient face au portail et qui furent à cette époque progressivement désertés jusqu'à devenir des bâtiments fantômes. Ils nous protégeaient toutefois en faisant écran, mais très vite la situation fut invivable. Marie tint des conciliabules au téléphone avec son frère et avec les autres chefs de famille, dont certains avaient déjà évacué, puis elle s'entretint longuement avec sa fille et enfin, un matin, elle me convoqua pour me demander mon avis. Elle ne me dit pas le fond de sa pensée mais je compris ce qu'elle attendait de moi et je déclarai que, en effet, il valait mieux que les habitantes de la maison aillent se réfugier ailleurs, chez Noula par exemple, qui depuis sa déroute habitait Rabieh et vivait d'une rente que lui versait son beau-père. Et j'ajoutai que, de mon côté, je demeurerais pour garder la villa. Marie m'écouta puis déclara que, dans le cas où l'on devrait partir, tout le monde partirait, personne ne resterait, c'était trop dangereux. Mais Jamilé protesta et bouda, annonçant qu'elle n'avait nulle part où aller, qu'elle ne suivrait pas ses maîtres chez n'importe qui et ne quitterait pas la villa. Quant à Mado, qui, malgré les tirs et les explosions, demeurait chez elle et que Marie chargea sa fille d'aller consulter, elle fit dire que l'on pouvait partir et la laisser, qu'on n'avait pas à s'en faire pour elle. Le résultat fut que nous décidâmes tous de rester. D'ailleurs, les moments de grande violence étaient brefs, et l'accalmie revenait par intervalles. Sauf que le quartier autour de nous avait sombré dans un silence mortel. Sur la route ne passaient plus que de rares automobiles tandis que les maisons et les commerces en face étaient déserts ou fermés, à quelques exceptions près, comme le boucher, qui ouvrait encore le matin, ou le forgeron, qui progressivement transforma son échoppe en atelier de mécanique pour les voitures des jeunes du quartier qui ne craignaient pas de s'aventurer jusque-là. Mais très vite la rue même devant le portail fut prise sous le feu de tireurs embusqués à Hayy el-Bir. On savait qu'ils nous observaient lorsque, inexplicablement, un coup claquait, unique, sec, méchant. Jamilé se mit à marmonner en me voyant assis à nouveau sur le perron, et me demandait, parfois aimablement, mais le plus souvent avec une brusquerie que je prenais pour l'expression détournée d'un intérêt réel pour moi, de rentrer parce que j'étais comme une cible dans une fête foraine. Mais je savais pour ma part qu'il n'en était rien. De là où j'étais assis, je ne distinguais aucun des immeubles de Hayy el-Bir, ils étaient trop loin ou dissimulés derrière les arbres ou derrière les bâtiments de Ayn Chir donnant sur la route de Sayda, et j'en concluais que les tireurs non plus ne pouvaient me voir. En revanche, je n'en étais pas aussi sûr pour Mado que j'apercevais plusieurs fois par jour debout sur son balcon à l'étage, fumant et regardant pensivement au loin. Je me demandais alors si elle avait fait les mêmes calculs que moi, ou si elle méprisait les francs-tireurs, ne croyant peut-être tout simplement pas à leur existence colportée par les récits et les fantasmes des petites gens, ou si, au contraire, elle attendait là patiemment que l'un d'entre eux enfin la vît, la mît en joue tranquillement, froidement, lâchement, et, d'un de ces coups secs, vînt mettre un terme à tout pour elle.

13

Au début de l'hiver, les choses dégénérèrent encore, les combats devinrent de plus en plus fréquents. On ne savait plus d'où partaient les coups ni où ils tombaient, je passais les nuits, comme toutes les habitantes de la maison, allongé les yeux ouverts dans l'obscurité, comptant les explosions, tentant de deviner les départs d'obus et de discerner leur chute, et puis au matin, lorsque le calme revenait progressivement avant que le jour se lève et ne trouve la ville dans une sorte d'immobilité totale et de silence effrayant, j'allais retrouver Jamilé dans la cuisine, où la radio allumée énumérait inutilement les lieux des affrontements et les quartiers touchés. Jamilé portait un petit déjeuner à Marie tandis qu'une des bonnes qui restaient au service des patrons faisait de même pour Mado. Karine, elle, nous rejoignait, pieds nus et décoiffée, superbe ainsi ébouriffée dans une nuisette bleue, achevant sa nuit les yeux ouverts, en grignotant en silence des biscottes qu'elle trempait dans un café très noir. Quand je m'étais assuré que le calme allait perdurer, je sortais pour tâter l'ambiance à l'extérieur, ou pour constater d'éventuels dégâts. Certaines nuits, des obus de mortier tombaient du côté des usines, dans un énorme fracas, et j'essayais à l'aube de m'approcher pour savoir ce que cela avait touché.

Mais le pire, c'est que l'aggravation des choses ne put ébranler la conviction ni l'obstination des habitantes de la demeure. Chaque fois qu'il était question d'évacuer les lieux, Mado affichait une détermination à ne pas bouger qui raidissait Marie et l'attachait encore plus à la villa. Je me demandais alors si les deux femmes ne rivalisaient pas dans cet entêtement mortel parce que aucune d'elles ne voulait laisser à l'autre le bénéfice de veiller sur la maison, de porter la gloire d'y avoir résisté, ou d'y être morte. J'en parlai à Jamilé, qui par ses réponses me parut elle aussi engagée dans cette absurde course à l'héroïsme, surtout lorsqu'elle marmonna que si quelqu'un devait rester, ce n'était ni Marie ni Mado mais bien elle, qui n'avait nulle part où aller. Elles commençaient à m'agacer toutes les trois, et j'eus comme l'impression que j'étais désormais de trop dans cette histoire de femmes et dans leurs conflits suicidaires. Karine, à qui je m'ouvris le jour même, alors qu'elle lisait couchée sur un canapé du salon, le téléphone inutilisable à ses pieds sur le tapis, m'écouta, posa son livre, se retourna sur le côté, mit la tête dans sa main et son coude sur le canapé, puis me conseilla de m'en aller, comme avait fait le jardinier, et en emmenant les bonnes. Je ris de son absurde proposition, je pensai en moi-même que les eunuques ne peuvent quitter le harem, et je me demande si elle lut dans mes pensées, car elle rit elle aussi, sans insister.

Je restai donc, me distrayant de mes insomnies les yeux ouverts à essayer de déchiffrer le sens des brèves et furieuses rafales qui éclataient, ou la qualité sonore des explosions qui parfois se rapprochaient beaucoup. Et puis une nuit je perçus quelque chose d'inhabituel à l'extérieur, des éclats de voix et des ronronnements de moteurs. Je me redressai sur mon séant, distrait des bruits de combats par ceux que j'entendais presque sous ma fenêtre. Pendant un instant, je crus que des miliciens chiites ou palestiniens avaient réussi à s'infiltrer jusqu'ici, et la panique s'empara de moi. Tout en me levant et en enfilant un pantalon, je cherchai à garder mon calme, à vaincre ma fébrilité et à empêcher mes mains de trembler. Je me raisonnai en enfonçant mon revolver dans ma ceinture et en me persuadant que je n'aurais pas à l'utiliser. J'évitai d'allumer et je sortis dans le corridor, d'où les voix me parvenaient plus sourdes. Lorsque j'atteignis la porte d'entrée, je la trouvai ouverte. Je sentis le froid monter le long de mon échine et me glacer le corps, mais j'avançai quand même et sur le perron j'aperçus la silhouette de Marie, debout, enveloppée dans une 'abaya et observant la nuit. Je fis du bruit pour ne pas l'effrayer, et je la rejoignis. Dehors, les fusillades paraissaient beaucoup plus proches et plus agressives, sans compter que la nuit les rendait plus sonores. Et il y avait ces voix sous les arbres. J'interrogeai Marie, qui m'indiqua les vergers, du côté ouest. Je dis que j'y allais, je descendis le perron et j'avançai dans le jardin vers le point d'où parvenait maintenant un véritable charivari, qui d'ailleurs réveilla le reste de la maison parce que la lumière se fit soudain dans la chambre de Jamilé. Marie me suivit, je me retournai pour lui demander de rester à distance, ce qu'elle fit. J'avais réussi à maîtriser ma peur, je ne tremblais plus, ma main autour de la crosse de mon revolver était ferme, j'avançais sans plus réfléchir dans la nuit secouée de coups de boutoir, et finalement je vis les miliciens. C'étaient ceux d'ici, et ils avaient dû s'introduire par l'ouverture créée par les obus tombés un mois plus tôt. Soulagé, je m'approchai prudemment, en lançant un salut. Ils m'aperçurent, et c'est à ce moment que je compris qu'ils avaient introduit aussi un canon, que je distinguai sous les frondaisons. C'était une sorte de gros tube pas très long, porté par une Jeep dont le chauffeur était encore assis au volant. Dans ma stupéfaction, je tentai de manière assez brouillonne d'expliquer que ce n'était pas possible, qu'ils avaient empiété sur une propriété privée. Ils me regardèrent d'un air de curiosité distraite avant que l'un d'entre eux ne déclare qu'ils n'avaient pas le choix, que l'angle de tir depuis ce point était idéal et qu'il fallait déloger les Palestiniens postés dans ces immeubles, là, et en parlant il m'indiqua dans le noir le pâté de bâtisses que nous appelions le quartier Khansa, à la limite de Hayy el-Bir. Je répétai qu'il y avait des habitants dans la maison, des femmes exclusivement, et j'étais à deux doigts de m'emporter lorsque Marie survint, suivie de Jamilé en chemise de nuit et de Karine qui avait revêtu un jean et un manteau sous lequel je jurerais encore aujourd'hui qu'elle était nue.

L'apparition des trois femmes au milieu des vergers, au cœur de la nuit, et alors que le bruit des combats et des échanges d'obus faisait vibrer la terre, agit comme un électrochoc sur les miliciens disséminés sous les arbres. Il faut dire qu'elles étaient belles, toutes les trois, Marie, les mains le long de son 'abaya, pareille à une reine mécontente mais patiente, Jamilé et Karine les bras croisés sur la poitrine, la première fulminant comme une furie, les cheveux noirs lâchés et nue sous sa chemise de nuit, la seconde fière et superbe, caparaçonnée dans son manteau comme une déesse de la Guerre. Je ne les avais jamais vues aussi motivées et révoltées. Marie demanda ce qui se passait puis déclara à propos du canon que, bien sûr, elle comprenait, qu'elle était comme tout le monde totalement disposée à aider les « jeunes gens », comme on appelait les combattants, mais que pour ça, non, c'était impossible, cela attirerait infailliblement sur nous des représailles, c'était trop risqué. Elle prit la peine de répéter qu'il n'y avait dans cette maison que des femmes, elle, sa belle-sœur, sa fille et les personnes à leur service, « à part Noula », ajouta-t-elle en me désignant, et les hommes se tournèrent fugacement vers moi avec une expression de curiosité renouvelée. Marie conclut que très probablement l'issue de la bataille ne dépendait pas de la position du canon ici ou ailleurs et qu'il fallait prendre en considération les gens qui continuaient à vivre dans le quartier. Le chef des miliciens eut l'air embêté, souffla, hésita puis fit un geste, comme s'il demandait un petit moment de réflexion. L'irruption de ces trois femmes le contrariait, c'était évident, nous étions à une époque où les milices se voulaient au service de la population et prétendaient la défendre. Il s'éloigna, prit à part un de ses compagnons, deux gars les rejoignirent dans leur conciliabule, tandis que les trois femmes demeuraient immobiles, sous le regard embarrassé des autres. Puis celui qui commandait revint vers Marie et déclara qu'il devait en référer à sa hiérarchie. Un de ses camarades parlait déjà dans un talkie-walkie. Il y eut des bruits dans le récepteur. Une voix se mêlait à un fort grésillement, se taisait brutalement et l'homme en face de nous parlait à son tour. Je me rappelai le patron essayant de joindre les chefs palestiniens. Il y eut encore un bref échange et, à la manière qu'avait le gars au talkie-walkie d'opiner en remuant le menton, je sentis que nous allions obtenir gain de cause. Et en effet il finit par faire un geste de la tête à son chef qui se tourna vers Marie en annonçant que c'était d'accord, il allait se retirer avec ses hommes.

Le lendemain, dans l'accalmie matinale, je revins sur les lieux et constatai pas mal de dégâts, parce que les engins militaires en progressant avaient évidemment arraché des branches d'arbres et même un petit avocatier sur lequel l'ancien jardinier et moi avions fondé pas mal d'espoirs. À mon retour, Jamilé me demanda avec impatience où j'étais passé et me raconta que Mado était descendue de chez elle. Comme je ne trouvais pas la nouvelle sensationnelle, elle ajouta que l'habitante de l'étage avait appris l'affaire de la nuit et était venue protester, estimant qu'on avait eu tort de renvoyer les miliciens. « Ils se battent pour nous défendre, avait-elle déclaré, et nous, nous leur mettons des bâtons dans les roues », poursuivant que sans eux « les autres » seraient venus nous chasser de chez nous, comme ils l'avaient fait à Haret Hreïk et à Laylaki. Jamilé me rapporta que Marie prenait son petit déjeuner à table et avait rétorqué à sa belle-sœur que pour l'instant on n'en était pas là et qu'avec un canon dans le jardin on se serait juste attiré des répliques sous la forme d'obus de la part des « autres » et nous n'aurions plus pu tenir longtemps dans cette maison.

« De toute façon, on ne tiendra pas longtemps, objecta Mado. Je t'avais fait dire qu'il valait mieux que vous partiez, mais tu n'as pas voulu.

– Tu n'as pas voulu non plus, dit Marie, imperturbable.

– Moi, je n'ai rien à faire ailleurs, s'échauffa Mado. Je suis née dans ces murs, j'y resterai et je disparaîtrai avec eux et avec tout ce qu'il y a encore autour. Mais toi, pourquoi restes-tu ? Sans compter que tu forces ta fille à demeurer, tout comme ces pauvres femmes à ton service, que tu sacrifies. »

Jamilé était accourue en entendant les voix de ses patronnes, pas très hautes mais sèches et d'une violence rentrée. On était au seuil d'une nouvelle bagarre, me raconta-t-elle, et c'était tellement absurde qu'elle tenta de dire quelque chose, de faire diversion, d'annoncer une nouvelle, ou de poser une question sur le repas de midi, ou sur le ménage, puis elle implora Karine du regard alors que la jeune femme arrivait à son tour. Marie heureusement ne répondit pas à Mado, elle ne se démonta pas, continua à se beurrer une tartine, juste pour occuper ses mains qui tremblaient, une tartine qu'elle ne mangea pas mais qu'elle tint jusqu'à ce que Mado, sa scène achevée, entreprît de remonter chez elle et eût disparu dans ses appartements.

Tout cela ne contribua pas à rendre plus sereine l'ambiance déjà perturbée par les nuits sans sommeil et par la perspective d'un possible retour des canonniers dans le verger. « Elle est devenue cinglée, murmurait Jamilé à propos de Mado, elle a perdu la tête à vivre là-haut seule au milieu de toute cette folie, au lieu de venir avec nous quand ça cogne. » Elle cherchait mon approbation, mais je ne savais que penser au juste. J'avais vraiment l'impression que Mado rêvait d'en finir, et que l'idée de se faire bombarder et de disparaître en même temps que son monde, ou ce qui en restait, devait lui être singulièrement agréable. Mais je n'arrivais pas à m'en convaincre complètement, et en attendant la situation empirait, l'hiver fut extrêmement pénible, d'autant qu'éclataient de plus en plus souvent des fusillades ponctuées de très violentes explosions qui donnaient l'impression chaque fois que l'on se battait devant la villa. Tout le monde, à l'exception de Mado, se retrouvait alors dans le salon, qui était la pièce la moins exposée. Les bonnes étaient blêmes, tout tremblait autour de nous, on s'entendait à peine, et nos corps pour se mouvoir devaient lutter contre le vacarme, comme contre une marée montante qui submergeait tout. Moi, je tentais malgré les protestations d'aller vers la porte d'entrée pour comprendre ce qui se passait, je l'ouvrais et, à plat ventre, j'essayais de regarder dehors. Le vacarme redoublait mais je ne voyais jamais rien, sinon le rebord de la rambarde du perron où je m'asseyais d'habitude. Je me redressais un peu, la fusillade se poursuivait mais ce n'était pas dans notre rue, car du côté du portail tout était parfaitement immobile. Et puis, aussi brutalement que cela avait commencé, tout cessait, et le silence s'abattait, monumental, spectaculaire. Les premières fois, on pensa qu'il y avait eu des tentatives d'infiltration de Palestiniens ou des milices chiites, mais ce n'étaient que des accrochages, à deux rues de la villa. Dans la journée, les miliciens étaient seuls désormais à aller et venir devant le portail et dans la rue, et j'appris qu'ils étaient installés dans un des immeubles vides du pâté de maisons en face. Comme nous étions les derniers habitants à proximité immédiate de la ligne de front, ils prirent l'habitude en passant de s'enquérir de nous et de rester quelques minutes en ma compagnie. Ils étaient parfois lourdement armés, mais déposaient leurs mitraillettes et leurs lance-roquettes sur le sol du perron pour s'asseoir à mes côtés. Jamilé les aimait beaucoup évidemment, parce que, en ce temps-là, ces jeunes gens croyaient sincèrement et naïvement lutter pour une cause, c'étaient souvent des fils de famille, modeste ou pas. Ils avaient de jolis visages, et Jamilé faisait son cinéma devant eux. Je lui adressai là-dessus une remarque mais elle m'envoya promener en me rappelant que je n'étais pas son mari, ce qui me mit de mauvaise humeur pendant des jours et faillit me faire prendre ces garçons en grippe. Et puis je me faisais du souci parce qu'il y avait Karine, que la plupart d'entre eux voyaient entrer dans la cuisine ou glisser derrière moi sur le perron. Elle était aimable à leur égard, souriante, mais passait sous leurs yeux comme un mirage. Ils me posaient sur elle des questions auxquelles je répondais évasivement et je m'aperçus que, sous couleur de vouloir défendre l'honneur de la fille des patrons, j'étais en fait jaloux de ceux qui, sans que je le formule ainsi, m'apparaissaient comme des envahisseurs de mon espace familier et de la chasse gardée de mes fantasmes et de mes rêves érotiques. En tout cas, je fus très vite rassuré, parce que Karine était parfaitement indifférente à cette présence mâle autour d'elle. Dès les premiers mois du conflit elle s'était désintéressée de ce qui se produisait dehors et demeurait enfermée chez elle à lire, à écrire ou à écouter de la musique, ne sortant que pour régler les disputes entre sa tante et sa mère, attendant quelque chose que je ne comprenais pas, indifférente aussi bien à la guerre qu'aux hommes qui la faisaient et dont certains venaient s'asseoir un instant près de moi.

En revanche, et par un incompréhensible mystère, ces gars-là, qui me distrayaient malgré tout depuis que plus personne n'entrait dans le jardin et que presque plus personne ne passait devant le portail, indisposaient Mado. Quand elle les croisait, elle arborait un visage affable, mais elle ne cessait en fait de marmonner contre leur présence intermittente, jusqu'au jour où, excédée de l'entendre, Marie réagit avec une impatience qui lui était peu coutumière.

« Tu voulais les laisser installer un canon dans le jardin, dit-elle avec humeur à sa belle-sœur qui passait devant la porte de la salle à manger, mais tu es dérangée par le fait qu'on les laisse se reposer ou qu'on leur offre des gâteaux. »

Mado eut un sourire méchant.

« Il aurait mieux valu les laisser mettre leur canon dans le jardin que de leur ouvrir la maison, alors que nous ne sommes ici que des femmes.

– La maison n'est ouverte à personne, tu le sais bien, ils n'ont jamais mis les pieds ailleurs que dans la cuisine, alors cesse de dire des bêtises. »

La tension monta, les deux femmes faillirent à nouveau en venir aux mains, et il fallut encore l'intervention de Karine pour que la querelle cesse. Mais cela devenait pénible, la situation d'extrême énervement que nous vivions n'arrangeait rien, et nous étions tous fatigués de leurs querelles inutiles.

14

En y repensant tant d'années après, je me dis que mon intuition de l'époque n'était pas erronée et que Mado n'avait qu'une envie, un désir, c'était d'en finir. Ce qui justifiait son insistance à nous voir tous partir, comme si l'apothéose qu'aurait représentée sa mort au milieu des décombres du domaine des Hayek ne pouvait prendre toute son ampleur et tout son sens que si elle était seule, qu'on la retrouvait morte en solitaire sur le navire perdu, échoué sur les bords des lignes de front de cette guerre absurde. Je n'étais pas loin de la vérité, à un détail près que nous ne tarderions pas à connaître. En attendant, durant l'hiver, lorsque la trêve nous permit de souffler un peu, Mado sortit. Elle voulut que je l'accompagne chez celles de ses vieilles cousines qui n'avaient pas fui à la montagne. La plupart d'entre elles habitaient dans des quartiers plus vivants que le nôtre, qui lui, comme je l'ai dit, était à moitié fantôme, ce qui nous forçait pour la moindre chose à rejoindre les rues intérieures de Ayn Chir. Sur le chemin du retour, elle maugréait contre sa parentèle qui pensait que tout était rentré dans l'ordre. Elle insistait pour avoir mon aval sur le fait que nous n'avions vécu jusque-là que le hors-d'œuvre et que le pire était à venir. Je marmonnais des choses incompréhensibles, parce qu'elle m'énervait. J'avais envie de vivre, moi, et de croire en cette trêve, espérant comme tout le monde qu'elle aboutirait à des accords de plus longue durée. J'avais d'ailleurs repris l'arrosage des arbres et le repiquage de quelques pousses, même si Jamilé, qui était remontée triomphalement pour la première fois depuis un an sur le toit pour étendre son linge, un avant-midi de plein soleil, m'appela de là-haut pour me montrer au loin les immeubles de Hayy el-Bir déserts et leurs façades trouées en plus d'un endroit. Contrairement à son attente, cela me déprima et je lui reprochai d'aimer cette désolation. Elle prit la mouche et me bouda pendant plusieurs jours, au cours desquels un matin Mado me signala qu'elle souhaitait que je l'accompagne au cimetière de Mar Elias. C'était à l'Ouest, dans les quartiers musulmans, et, même si la trêve le permettait, je n'étais pas rassuré. Je tentai une diversion en prétendant que Marie voulait que je la mène chez des amis à Gemmayzé, mais Mado fit la sourde oreille et mc rappela que personne n'avait mis les pieds à Mar Elias depuis deux ans et qu'il fallait se charger de ça. « Ta collègue veut aller s'occuper des morts », déclarai-je avec humeur à Jamilé, croyant faire un subtil parallèle entre les immeubles ruinés de la ligne de front que Jamilé m'avait montrés et le cimetière que voulait visiter Mado. Mais Jamilé n'apprécia guère la blague et encore moins l'expression « ta collègue », si bien qu'au retour je vins m'excuser et fis quelques petites plaisanteries pour la dérider. Et j'eus de la chance parce que la visite que nous avions entre-temps effectuée, Mado et moi, à Mar Elias fut un beau sujet de réflexion et de perplexité. Aussitôt arrivée, au lieu d'appeler le gardien ou le curé, Mado marcha le long des allées, puis elle se posta un instant devant le caveau des Hayek, et c'est moi qui avisai les herbes folles, les vieilles fleurs sèches que je me voyais déjà devoir arracher sur ses ordres. Je n'en avais pas la moindre envie, et je m'apprêtais à faire la tête quand je remarquai l'expression de Mado, fermée, indifférente, comme si elle était devant un caveau étranger. Elle contempla les noms de ses ancêtres, le regard pensif, puis elle déclara :

« Il n'a pas pensé à vendre cette concession.

– Qui ça ?

– Mais Noula, voyons ! Il aurait pu se faire quelques sous en plus, l'andouille. »

J'étais stupéfait, mais la subite et inespérée légèreté de Mado m'encouragea à badiner à mon tour :

« Et où auriez-vous mis vos morts s'il l'avait fait ? »

Mado ne répondit pas tout de suite, souffla puis, comme pour elle-même, demanda :

« Pourquoi on les garde comme ça ? »

À la vue de mon air déconfit, elle ajouta :

« Les musulmans, eux, les mettent dans la terre, où ils se décomposent. Et on n'en parle plus. Nous, on les entasse et on ne sait plus quoi faire avec. Il aurait dû vendre la concession, je te dis. Cela nous aurait évité de continuer à nous en soucier, et à venir ici malgré les risques. »

Je restai pantois, d'autant qu'au lieu de s'atteler au nettoyage des lieux, et de m'employer avec elle à cette tâche que je détestais, Mado fit quelques pas sous les arbres, longea quelques tombes, jeta un dernier coup d'œil au cimetière désert puis, sans plus un regard pour l'endroit où reposaient les siens, déclara qu'on s'en allait. « Je te le dis, insista Jamilé deux heures après en m'entendant raconter tout ça, elle a perdu la tête. Ou alors elle a enfin compris qu'il vaut mieux s'occuper des vivants que des morts. » Et comme je ne réagissais pas, parce que je n'étais pas convaincu, elle poursuivit son bavardage, glosant sur le fait que Mado avait réalisé qu'elle n'irait pas là-bas, que nul ne pourrait l'y emmener si elle mourait aujourd'hui et que donc cela avait cessé de l'intéresser. Mais je ne l'écoutais plus, ce qu'elle remarqua, et elle recommença à me faire la tête.

Cette histoire aurait pu alimenter encore longtemps nos conversations ou nos réflexions si le pays n'avait sombré à nouveau dans la guerre, au début du printemps, comme nous le redoutions tous. Il y eut des combats partout, entrecoupés de bombardements violents. Malgré le rugissement des obus qui se désagrégeaient à proximité, chacun dans la maison restait plus ou moins courageusement à sa place à vaquer ou à tenter de se distraire. Comme je ne pouvais pour ma part demeurer sur le perron, je venais bavarder avec Jamilé près de ses fourneaux et, un jour, un souffle terrible suivi d'une explosion nous propulsa elle et moi à terre pendant que les vitres s'effondraient et que des éclats de mortier crépitaient autour de nous. Un autre jour, je me tenais debout en face de la patronne qui, le combiné du téléphone à la main et attendant la tonalité, m'informait qu'une lettre de Hareth datant d'au moins cinq mois était arrivée par erreur chez les Kheir et qu'elle souhaitait que j'aille la chercher « quand les choses le permettront ». Au moment où elle prononçait ce mot « permettront », qui, à cause de ce qui suivit, resta gravé dans ma mémoire comme une marque au fer rouge, sa phrase fut coupée net par une détonation terrible et je vis comme au ralenti la vitre qui était à sa gauche s'envoler et retomber en mille morceaux tandis que nous nous jetions sur le sol. À cette époque, nous recommençâmes à nous regarder tous l'air entendu, mais nul n'osa formuler la question de savoir si on pouvait encore rester si près du front ou si nous devions nous en aller. Personne n'en parla, et donc personne ne fit rien, on se forçait à reconduire une routine qui nous apparaissait soudain comme l'expression même de l'insouciance et de la vie heureuse que nous avions perdues. Karine et Marie déjeunaient et dînaient à l'heure du déjeuner et du dîner, à la table, après que l'on avait mis le couvert, la porte-fenêtre ouverte sur le jardin. Marie le matin s'installait au salon et nous venions, Jamilé et moi, au rapport. Jamilé prenait les consignes pour les repas, moi pour les choses à faire, des vitres à remplacer par du plastique en attendant qu'un vitrier puisse venir nous les changer, ou le raccordement de fils électriques défectueux, et même la vérification de l'antenne de télévision apparemment touchée, sur le toit de la villa, mais que ma patronne m'interdit cependant de monter arranger. Ce que je fis quand même en cachette, un matin d'accalmie. J'avançai sur le toit à califourchon, puis je me mis à l'abri du réservoir d'eau afin de m'occuper de l'antenne qui était à moitié couchée, tout en regardant furtivement du côté de Hayy el-Bir et de la ligne de front, volant quelques images de l'horizon venimeux fait des mêmes immeubles figés, troués, vides en apparence, en train de se fossiliser, mais d'où la mort pouvait jaillir à tout instant sous la forme d'une salve ou d'un tir de franc-tireur.

Au bout de quelques semaines, un cycle absurde s'installa. Les violences commençaient dans l'après-midi, allaient crescendo jusqu'au milieu de la nuit puis régressaient jusqu'à l'aube où le calme se réinstallait durablement pour la journée. Nous dormions mal, mais le matin je sortais sur le perron, ou bien j'allais à pied acheter du pain et de la viande dans les rues intérieures de Ayn Chir, où il y avait encore pas mal d'habitants et des boutiques ouvertes. Je constatais parfois à mon retour que nous avions de la visite, celle de Georges Ghosn ou celle de Noula, qui insistaient tous deux pour emmener les habitantes de la maison chez eux et se heurtaient chaque fois à un refus catégorique. Je m'occupais à cette époque à réhabiliter une vieille porte en fer qu'il y avait dans le jardin, du côté opposé à mon perron, qui pourrait nous permettre de sortir par l'arrière, et ainsi d'éviter la rue de devant, souvent très exposée. La porte était rouillée, elle jouxtait les anciennes écuries abandonnées, et je passai une matinée à l'extraire de ses gonds puis à la déplacer, puis une autre à la frotter et à la peindre, avant de nettoyer le cadre, de la replacer et de constater avec ravissement qu'elle ouvrait et fermait à merveille et pouvait donc servir d'issue de secours. L'après-midi je venais m'asseoir avec Jamilé à la cuisine. Parfois, la nuit, la difficulté à dormir, le sentiment d'impuissance que provoquait la nécessité de suivre à l'oreille les déflagrations et les rafales de mitrailleuses et d'interpréter empiriquement leur point d'impact et la distance qui les séparait de nous étaient tels que je me levais. Si le quartier n'était pas immédiatement concerné par les bombardements, si l'on ne se tirait pas dessus dans les rues les plus proches, j'allais discrètement jusqu'au vestibule, j'ouvrais doucement la porte d'entrée et je sortais sur le perron. Je m'étais habitué à la violence nue des sons quand j'étais dehors, aux pulsations lointaines des canonnades que l'on n'entendait pas de l'intérieur. Je voyais le rougeoiement des explosions teinter le ciel comme des bouffées jetées par un grand brasier puis, une fraction de seconde après, retentissait le bruit qu'elles provoquaient, un ronflement si c'était au loin ou une détonation violente si c'était plus proche. Dans les moments de silence, j'entendais parfois des miliciens parler entre eux dans l'obscurité. J'étais si fasciné par la nuit et ses dangers que j'avais du mal à rentrer, d'autant qu'à tout cela se mêlait le parfum des orangers, d'une puissance presque frénétique. Il s'élevait avec la brise chaude du printemps et ouvrait en moi des canaux, éveillait les souvenirs des temps paisibles, qui semblaient ceux d'une autre vie. Je restais là, debout, ou parfois j'approchais ma chaise du seuil et je m'asseyais, même lorsque les cognements étaient extrêmement durs et me faisaient me redresser, prêt à rentrer m'abriter à l'intérieur, un intérieur dont je scrutais les sons familiers, craquements de meubles ou bruits de porte ouverte puis refermée, prouvant que les femmes ne dormaient pas non plus, évidemment. Il m'arrivait de demeurer jusqu'à l'aube ou au moins jusqu'à ce que je parvienne à vaincre l'insomnie. Une fois, Jamilé me demanda pourquoi j'étais sorti à deux heures du matin, et si j'avais entendu quelque chose. Je lui racontai mes veillées solitaires et j'eus l'agréable surprise, la nuit suivante, alors que j'étais debout, appuyé contre le chambranle de la porte d'entrée, de sentir celle-ci tirée par quelqu'un et de découvrir Jamilé, dans une nuisette légère, pieds nus. Sans parler, je lui cédai le passage. Elle fit un pas à l'extérieur, observa l'horizon qui brasillait et grimaça devant la violence des détonations auxquelles le corps se croit soudain exposé quand il quitte l'enceinte des murs. Puis elle croisa les bras, s'adossa au chambranle à mes côtés et nous demeurâmes immobiles à regarder l'irregardable.

Nous nous retrouvâmes ainsi à plusieurs reprises, muets devant l'inexprimable, éberlués par la folie des hommes. Parfois, les coups étaient lointains comme les bruits d'une forge et Jamilé paraissait gagnée par le sommeil, ce que je regrettais parce que j'aimais bien l'avoir près de moi, légèrement habillée. Mais quand le sol vibrait sous nos pieds elle prenait peur et me tirait par le bras pour me forcer à rentrer, ce que je faisais parfois, et c'est par une nuit comme celle-ci que la chose s'abattit sur nous. Il était deux heures du matin. Une automobile passa vivement devant le portail, tous feux éteints. Jamilé me regarda d'un air interrogatif. Une ou deux rafales éclatèrent, en provenance de la rue adjacente, et, avant même que l'on ait eu le temps de s'abriter, une formidable détonation retentit. Jamilé avait rentré les épaules et s'était jetée à l'intérieur. Une odeur de poudre se répandit, j'avais un pied dedans et un pied dehors, je ressortis, Jamilé me suivit prudemment et déclara : « C'est tombé du côté des usines. » Elle avait à peine dit cela qu'il y eut une deuxième explosion, puis une troisième, mais très rapprochées, et cette fois elles étaient si fortes que le tonnerre causé par leurs impacts successifs fit déferler de partout comme une matière sonore hurlante qui nous submergea tandis que nous nous précipitions dans le vestibule et que je songeais instinctivement : « Cette fois ça y est, nous sommes morts, nous sommes morts ! » Mais, lorsque nous nous retrouvâmes dans le vestibule, une autre pensée me vint dans toute son absurde évidence, que je formulai en mots sans m'en rendre compte, comme un automatisme : « La maison, c'est la maison qui a été touchée. » À ce moment d'ailleurs, et comme pour concrétiser mes craintes, les deux bonnes sortirent de leurs chambres, ainsi que Karine et Marie, et cette dernière criait : « C'est tombé où ? C'est tombé où ? » Je n'arrivais pas à répondre, mais, au milieu de l'indescriptible confusion de mes idées, une certitude brutalement s'imposa : « C'est à l'étage, chez Mado. » Je ne sais pas si je le dis ou non, je ne m'en souviens plus, mais au même instant j'entendis Karine s'exclamer : « Mado ! Mado ! » Je crus qu'elle avait vu quelque chose ou compris ce qui s'était passé, mais elle était en fait dans le même état que moi et en était arrivée à la même conclusion, qu'elle exprimait par ces cris. Je courus vers l'escalier, suivi des trois femmes. Dans mon esprit emballé et qui semblait fonctionner tout seul passaient des images terribles, comme si mon imagination voulait prendre les devants et me prémunir contre l'horreur de ce que j'allais voir, en faisant défiler à l'avance dans ma tête des scènes de Mado morte, Mado morte, Mado morte. Une odeur très forte de poudre submergeait l'étage en même temps que la fumée. La porte de l'appartement de la belle-sœur de Marie avait été ouverte par le souffle. J'entrai le premier, mais l'obscurité et la poussière m'empêchèrent de rien distinguer. Dans la pièce principale, où l'obus avait explosé, tout était renversé, tordu, et dans un désordre et un enchevêtrement extraordinaires que je traversai en remarquant à peine l'énorme trou qu'avait causé l'obus en pénétrant là. J'appelai Mado, nous l'appelâmes tous, puis nous prîmes la direction de sa chambre d'où parvenait, à mesure que nous avancions, un petit râle, ou ce que je pris d'abord pour un râle mais qui était un faible gémissement. Le couloir menant aux chambres, dont les murs étaient défigurés par les éclats de métal, ouvrait maintenant lui aussi sur l'extérieur, troué par le même engin, ou par le second. En arrivant devant la chambre de Mado, à travers la poussière qui continuait à planer par nappes indolentes, je dus lutter contre une formidable résistance de mes jambes qui ne voulaient pas aller plus loin, qui ne voulaient pas me mener jusqu'au lieu où j'allais découvrir Mado déchiquetée. Et pourtant, c'était à moi d'y aller, et non pas aux femmes, et, dans un effort surhumain, je réussis à commander à mes membres de poursuivre, de ne pas s'arrêter, d'entrer dans la pièce, ce que je fis, et, à mon grand soulagement, celle-ci n'était pas sens dessus dessous. La poussière y entrait par le couloir, les bris de vitres étaient partout, et Mado, dans son lit, tentait de se redresser, puis en me voyant se recoucha en gémissant et en indiquant sa jambe et sa hanche couvertes de sang, tandis qu'une blessure à son cou saignait abondamment.

15

Elle ne mourut pas. Durant les semaines qui suivirent, à l'hôpital où on la transporta cette fameuse nuit, elle resta souvent endormie à cause des analgésiques. Si pendant quelques heures on craignit pour sa vie du fait de la blessure au-dessus de l'épaule, les choses s'arrangèrent. Ses vieilles cousines et sa parentèle encore à Beyrouth défilèrent pour la voir, ainsi que les familles de Ayn Chir et leurs vieux chefs, désormais dépassés par les événements. Jamilé disait que la sœur de Skandar aurait été contente de savoir ce monde autour d'elle, sauf qu'elle ne vit personne, elle dormait profondément, et le seul être qui était en permanence à ses côtés, c'était Marie. Je trouvais que cette dernière faisait preuve d'une grande magnanimité à passer ainsi ses journées à suivre l'évolution de la santé de son insupportable rivale. Elle était parfois relayée par Karine et Jamilé et aussi, plus rarement, par la femme de Noula. Mais c'était elle qui servait d'interlocutrice aux médecins et aux infirmières, elle qui suivait attentivement les soins et les changements des pansements de la blessée, et elle qui dormait sur une chaise longue dans la chambre. Et c'est elle que vit Mado lorsqu'elle ouvrit les yeux pour la première fois, en sortant de son hébétude. Mais la convalescente était trop assommée pour réagir, elle fixa sa belle-sœur d'un air indifférent, ou vide, puis referma les yeux. La fois suivante, elle sembla y faire davantage attention, voulut parler, mais se borna à un geste de la main que l'on ne comprit pas. Quand la morphine cessa de lui être administrée, elle retrouva un peu ses esprits sans cesser d'être extrêmement faible. Lorsqu'elle demandait quelque chose, c'était Marie qui réagissait la première. Mado parlait avec difficulté, essentiellement pour exiger de rentrer chez elle. Marie se penchait alors et lui expliquait que c'était trop tôt, mais que ça ne saurait tarder. Mado, amorphe, regardait droit devant elle sans ajouter un mot, puis lentement revenait poser son regard sur sa belle-sœur, et je sentais qu'elle avait envie de lui dire quelque chose. Marie de son côté, très digne, n'en profitait pas, elle faisait ce qu'il y avait à faire, sans empathie véritable mais avec efficacité et précision, comme un devoir moral. Elle arrangeait les draps ou découpait la viande de Mado, qui n'avait plus les mouvements d'humeur ou les colères dont elle était coutumière. Il se dégageait de son attitude une apathie généralisée, elle était très peu réactive à son entourage, alors que les médecins se montraient rassurants et l'interpellaient même avec affection pour la secouer. « C'est à cause de sa faiblesse », commentait Jamilé. Mais moi je n'étais pas d'accord, et je m'aperçus dès cet instant que Mado avait comme baissé la garde. Feignant de se résigner à sa faiblesse et à ses douleurs, elle semblait résignée tout court et acceptait sans discussion d'aucune sorte l'empire des gens bien-portants autour d'elle, elle mangeait quand on le lui disait, elle se levait quand on le lui demandait, et tout cela n'était pas son genre même dans les pires situations, et plus encore quand il s'agissait de Marie, qui supervisait tout et qu'elle continuait à observer obstinément, avec acuité maintenant, son visage plus amaigri que jamais enfoui dans les oreillers mais d'où son regard aigu ne quittait pas sa belle-sœur.

Durant tout ce temps, Karine prit en main la maison et me chargea, avec les bonnes et Jamilé, de l'appartement ravagé. La guerre avait déplacé ses lignes, on se battait dans la montagne, et autour du camp palestinien de Tell el-Zaatar, ce qui fait que, de notre côté, les choses étaient beaucoup plus calmes. Nous en profitâmes pour nous débarrasser de tout ce qui avait été détruit par les deux obus, c'est-à-dire la quasi-totalité des meubles du salon de Mado, éclatés, déchiquetés, et qu'un chiffonnier emporta en les faisant passer par la porte que j'avais réparée, étant donné que sa camionnette ne pouvait arriver par le portail principal. Karine entreprit ensuite de faire refaire les murs défoncés de l'étage. Je protestai, en disant que c'était absurde, qu'on devait attendre, mais elle insista sans ciller en demandant ce qu'il fallait attendre, et en ajoutant qu'elle ne pouvait supporter de vivre au milieu des ruines. Je dis que ce qui était arrivé une première fois pouvait arriver une deuxième, à quoi elle répliqua en me tournant le dos que, dans ce cas-là, on reconstruirait encore, une deuxième fois, et mille fois s'il le fallait. Je n'étais pas d'accord, j'avertis que je ne saurais pas faire, et qu'il fallait un maçon et un peintre en bâtiment, ce à quoi Karine rétorqua que je savais sûrement où les recruter. Je fis venir deux hommes de Ayn Chir, qui trouvèrent aussi que c'était une drôle d'idée, et qui surtout avaient des appréhensions à travailler aussi ostensiblement en face d'éventuels francs-tireurs. Je leur dis en mentant un peu que les tireurs embusqués ne pouvaient nous voir, et je me pris à faire de grands gestes devant le trou béant du salon de Mado. Ils travaillèrent en introduisant le parpaing par la porte de derrière, devant laquelle était garé leur camion. Des miliciens se présentèrent pour demander s'il était bien prudent de faire ça maintenant. Karine, qui les reçut, répondit « Oui » de manière laconique. Elle portait un jean et une chemise blanche, ses cheveux étaient ramenés sur sa nuque. Les miliciens la lorgnèrent sans vergogne et moi je redoutais leurs regards, car en quelques mois les combattants étaient devenus autres. Moins empathiques, plus agressifs, ils avaient davantage l'air d'une corporation ou d'une armée de métier, et ne se réclamaient plus de la population. Des batailles terribles les avaient aguerris et rendus plus violents. Mais Karine n'en avait cure, ce que je considérais comme une erreur, et pendant tout ce temps, à l'hôpital, Mado se remettait lentement. Elle pouvait à nouveau parler avec aisance, mais elle ne disait rien, elle se taisait obstinément, et j'eus peur qu'elle ne s'en prenne à Marie, qui s'occupait toujours d'elle patiemment, mais froidement. Bientôt, elle put commencer à se lever, certes avec une infirmière pour la soutenir. Marie surveillait les manœuvres, et je redoutais que, abdiquant par la force des choses toute fierté, la sœur de Skandar ne cherchât plus tard à se venger. Mais je me trompais, car, lorsque Mado fut obligée de rééduquer sa jambe blessée, elle accepta sans rechigner l'aide de Marie, qui la soutenait quand elle faisait quelques pas dans sa chambre, puis quand elle put sortir et marcher dans le couloir. Allant bras dessus bras dessous, les deux femmes parlaient peu, échangeaient des propos anodins concernant l'immédiateté du corps et de ses impératifs, tourner à droite, lever la jambe, se diriger vers un fauteuil dans lequel s'asseoir. Mais il y avait si longtemps que ces deux-là ne s'étaient pas adressé la parole sans se disputer que c'en était miraculeux. Et le plus étonnant fut que Mado, de qui on aurait pu attendre qu'elle trouvât naturel qu'on la servît, tentait au contraire de libérer Marie de ces corvées. Les rares fois où elle parla, ce fut pour faire montre de sollicitude à son égard. Elle lui conseillait d'aller se reposer, déclarait qu'elle ne pouvait rester ainsi des jours entiers à son chevet. À tout cela Marie demeurait imperméable, sans doute pour se protéger. Ce qu'aussi je craignais, c'était que l'état de dépendance de Mado ne la poussât à des extrémités, qu'elle en voulût au monde entier d'avoir été si vulnérable, amassant toute une réserve de haine à venir. Et je le craignis encore plus lorsqu'elle fut autorisée à sortir de l'hôpital et rentra à Ayn Chir. Mais je me faisais des idées. Son appartement avait été restauré, sauf qu'il était entièrement dépourvu de meubles, et Karine se déclarait mécontente de la peinture. Mado affirma néanmoins que c'était parfait, qu'elle n'avait besoin de rien de plus qu'un lit et une table. Elle ne pouvait cependant gravir l'escalier et elle fut contrainte de rester en bas, dans une des chambres vides. Elle s'y refusa d'abord, voulut qu'on l'aide à monter, puis renonça. Elle vécut alors parmi nous comme elle ne l'avait jamais fait auparavant, où pendant quarante ans elle s'était obstinément recluse dans son étage. Elle n'était pas autonome, mais semblait docile, se laissait déplacer, installer sans discuter au salon ou sur la terrasse. Elle mangeait peu et ne faisait pas de commentaires sur la cuisine de Jamilé. Elle était aimable avec moi et avec les bonnes. J'avoue pourtant que la voir ainsi faire profil bas me peinait. Elle paraissait soumise, et surtout comme défaite. En elle quelque chose s'était brisé, elle était silencieuse, pensive, lointaine. Marie lui mettait des revues à portée de main, ou des livres, mais elle les feuilletait à peine, et juste par courtoisie, aurait-on dit, ce qui était nouveau de sa part. Jamilé me regardait d'un air interrogatif. « Je te le dis, moi, lui répondais-je, qu'elle voulait en finir, mais ça n'a pas marché, et elle se retrouve là, et à moitié estropiée de surcroît. Il y a de quoi déprimer. » C'était ça, elle devait être en dépression, un mot que j'ai appris plus tard mais que je peux appliquer à la Mado de cette époque. Elle avait encore maigri, les quelques robes noires qui n'avaient pas été laminées étaient larges sur elle. En tout cas, je me pris pour sa personne d'une certaine forme de sympathie, voire de pitié, d'autant que Marie demeurait distante, ce que d'une certaine façon je comprenais aussi. La glace accumulée depuis tant d'années ne pouvait fondre si vite. Ma patronne continuait toutefois d'agir comme il fallait, scrupuleusement, et se chargeait de faire démarrer une machine qui par moments paraissait éteinte. « Allez, Mado, lançait-elle, tu n'as pas fait ta marche aujourd'hui, alors debout, et allons-y ! » Elle s'occupait de son alimentation, s'assurait qu'elle avait tous ses médicaments, si bien qu'un jour Mado lui demanda pourquoi elle s'acharnait ainsi à vouloir qu'elle aille mieux. Je craignis qu'elle ne poursuive en accusant Marie, comme elle l'aurait fait naguère, de la garder près d'elle pour pouvoir la narguer plus longtemps, de toute la hauteur de sa bonne santé. Mais elle ne le dit pas, elle n'était plus dans cet état d'esprit, elle semblait comme une survivante qui ne cherche plus querelle, qui n'a plus goût à la dispute ou n'y trouve simplement plus de raisons, ni de raison de vivre. Marie lui répliqua qu'elle faisait ce qui était naturel et ajouta : « Tu le ferais si tu étais à ma place et moi à la tienne. » Je n'en étais pas si sûr, bizarrement, de mon côté, et je trouvais que Marie cherchait par cette réponse à marquer des points contre un adversaire désormais K.-O. Je la sentais dure, la patronne, sans parvenir vraiment à la blâmer. Une autre fois, Mado déclara, mais comme si elle se parlait à elle-même : « Vous auriez mieux fait de me laisser mourir, cela aurait été plus simple pour tout le monde. » Comme la fois précédente, et comme souvent cet été-là, elles étaient assises toutes les deux sur des fauteuils en osier, pas loin de moi, et, même si je faisais mine de ne pas les entendre, je suivais toutes leurs conversations, qui ne portaient que sur des choses du quotidien, les cigales qui chantaient moins dans nos pins ou les rosiers qui paraissaient fatigués. Cette fois-là, Marie ne répondit pas, elle ne voulut pas faire de cadeaux à sa belle-sœur, comme si cette dernière réclamait un peu d'intérêt pour sa personne, espérant peut-être qu'on lui dirait : « Mais non », ou : « Ne t'en fais pas Mado, on t'aime, voyons. » C'était le genre de manipulation dont elle était autrefois coutumière. Or, à ce moment, j'étais persuadé qu'elle était sincère. Pourtant, Marie ne dit rien, et j'eus envie de faire un geste, de dire quelque chose moi-même, mais je ne pouvais pas me le permettre et je restai immobile à ma place, en songeant que j'aurais donc vu ce jour où j'avais eu pitié de Mado et envie de lui faire plaisir et où, par-devers moi, j'avais réprouvé l'attitude de ma patronne. Et finalement un matin, alors qu'elles marchaient toutes les deux sous les eucalyptus, Mado demanda à Marie, de but en blanc, sans aucun préambule, à quel point celle-ci lui en voulait pour tout le passé. C'est Jamilé qui me le rapporta, parce qu'elle les accompagnait. Elle me raconta que Marie ne se démonta pas, réfléchit tranquillement, continua d'avancer au rythme de sa belle-sœur avant de répondre :

« Pas autant que tu pourrais le croire. »

Sans s'arrêter, et sans la moindre hésitation, comme si le temps des explications était enfin venu, Mado dit :

« Moi, je t'ai haïe immodérément, parce que je sentais que tu étais l'incarnation de mes défaites.

– Je sais, répondit Marie. C'est pour ça que je t'en veux moins que tu ne crois.

– Même pour tout ce que je t'ai dit, ce fameux jour, à propos de Badi' Jbeili ?

– Je t'en ai dit aussi pas mal.

– J'étais vraiment en rage, reprit Mado. Mais, à la vérité, tout ce que j'ai fait après cela n'était pas seulement dirigé contre toi. »

Jamilé marchait en soutenant Mado et elle ne sut pas si elle devait s'arrêter et les laisser poursuivre leur tête-à-tête, ou si elle devait regarder dans le vague et faire la sourde, comme les majordomes dans les grandes maisons, témoins muets ainsi que des tombes des secrets les plus graves de leurs maîtres. Mais sa curiosité était telle qu'elle poursuivit, silencieuse, en compagnie des deux belles-sœurs. D'ailleurs, ces dernières ne se souciaient pas d'elle, ou consentaient à ce qu'elle écoute, comme si elle était elle aussi concernée par tout cela, ce qui était un peu vrai.

« Tu en voulais à qui, à part moi ? demanda Marie.

– Aux Hayek, répondit Mado sans la moindre hésitation. Je me suis longtemps considérée comme la dernière gardienne de leur splendeur. Mais je ne me rendais pas suffisamment compte que c'est au nom de cette splendeur qu'ils m'ont sacrifiée, qu'ils ont accepté la félonie du fiancé mexicain et celle de ton frère à mes dépens, qu'ils ont fermé les yeux et vous ont mariés,

Skandar et toi, pour obtenir l'alliance de ta famille. Ou plutôt si, je m'en rendais compte, mais je m'en faisais stupidement une raison. Sauf qu'au bout d'un moment toutes les raisons du monde ne tiennent plus. »

Après un silence que Marie se garda d'interrompre, malgré l'allusion à son frère qu'elle accepta de bonne grâce, la sœur de Skandar poursuivit :

« Lorsque je me suis occupée de tout ruiner, quand ton fils faisait ses bêtises, je pensais que c'était toi que je punissais de ton possible bonheur, et que je défendais l'honneur des miens au prix d'un énorme sacrifice. Mais ce n'était pas un sacrifice, c'était une vengeance. J'ai tout liquidé par vengeance. Je t'en voulais, bien sûr, parce que tu incarnais tout ça, mais c'était d'eux tous, mes parents, ma famille et mes stupides ancêtres, que je me vengeais, sans m'en rendre complètement compte, et aussi de moi-même, en définitive. Mais j'ai compris ça plus tard. Cette jouissance, cette rage joyeuse à tout envoyer en l'air, la seule que j'aie jamais ressentie dans ma vie, je ne l'ai comprise qu'après coup. »

Les deux femmes avaient un peu ralenti leur marche. Jamilé se sentait de trop, mais elle était tétanisée, coincée dans sa position d'involontaire intruse, et continuait, pour se faire oublier, à regarder dans le vague en soutenant Mado.

« J'étais folle de joie, poursuivait cette dernière, à l'idée de réduire à néant ce qui restait de cette fortune et de cette splendeur qui sont à l'origine de ma misère.

– Et de la mienne », ajouta doucement Marie au terme d'un bref silence.

Jamilé me raconta qu'elle crut que Mado n'avait pas entendu. Mais elle avait entendu et opina en marmonnant pensivement :

« Et de la tienne, bien sûr. De notre misère à toutes les deux. »

Elles étaient arrivées aux limites abstraites après lesquelles il devenait dangereux de poursuivre le long du verger. Elles rebroussèrent lentement chemin et, en progressant vers la maison à nouveau, Mado reprit :

« Je ne sais pas si tu l'as su, mais je suis allée avec Requin-à-l'arak à Mar Elias, durant l'hiver. »

Marie fit une mimique affirmative.

« Et tu sais pourquoi j'y suis allée ? Je rêvais de découvrir que Noula avait fait comme Ghaleb Cassab, qu'il avait vendu la concession. Et Noula n'étant pas prévoyant comme Ghaleb Cassab, il n'aurait pas même pensé à trouver une solution pour les restes de ses ancêtres, et on en aurait fini avec ça aussi. Tous les vieux os des Hayek disparus, dispersés ! J'en ai rêvé. Mais il ne l'a pas fait. »

Marie sourit dans le vague et se tourna vers sa belle-sœur, dont elle voulait mesurer l'expression. Mado, plus osseuse que jamais, avait l'air de se délecter de ses propres paroles, ses yeux jetaient des éclairs de malice que Jamilé me jura ne lui avoir jamais vus. « J'ai compris ce que l'on rapportait de Mado naguère, me dit-elle, quand on nous parlait de sa gaieté, de son humour. » Elles étaient cependant arrivées devant les marches du perron. Quand elles les eurent montées, je leur apportai deux fauteuils en osier dans lesquels elles s'assirent. Jamilé, qui n'avait pas dit un mot durant la promenade, et pensait qu'on l'avait presque oubliée, posa la canne de Mado près de son siège et se retira le plus discrètement possible. Mais elle jubilait, elle pétillait d'impatience, et, dès qu'elle fut hors de vue de ses patronnes, elle m'attira pour tout me répéter, en haletant, incrédule, stupéfaite, et durant des jours et des jours après ça nous n'avons cessé de commenter tout cela, de le tourner et le retourner, éblouis comme si nous avions découvert quelque pépite d'or que nous nous montrions l'un à l'autre à longueur de temps. « C'est bien ce que je pressentais, disais-je. Celle qui a toujours rêvé de se venger des Hayek, c'était Mado, et non pas Marie. Et elle devait rêver de parachever ça en attirant les obus de Hayy el-Bir sur la maison et sur elle. Mais elle n'a pas pu, parce qu'on est restés et qu'on l'en a empêchée. Sinon, je te jure qu'elle aurait été fichue de faire venir les canons, d'accepter d'installer des tireurs sur le toit, tout ce qui aurait pu faire tomber la foudre sur cette demeure. » Nous nous taisions, incapables de mesurer encore les possibles conséquences de cette nouvelle donne. « Que va-t-elle faire, se demandait alors Jamilé, maintenant qu'elle n'a plus l'honneur des Hayek à défendre, ni Marie contre qui se battre à longueur de journée ? »

À cela, je ne savais que répondre, j'ignorais même s'il y avait une réponse. J'observais les deux femmes, la vaincue et celle dont la victoire n'avait sans doute plus aucun goût, et je voyais autour d'elles cette villa où elles devaient continuer à vivre. Je crois qu'elles l'auraient fait restaurer, toutes les deux ensemble, maintenant qu'elles étaient réconciliées, étant donné que c'étaient elles qui avaient défendu la terre et le domaine, elles qui avaient payé de leurs peines, de leurs peurs, de leur souffrance et de leur sang, alors que les hommes étaient absents, parti trop tôt, déserteur de par le monde ou frivole sans cervelle. Tout cela était devenu leur bien propre, dont elles n'étaient plus redevables à personne, et elles auraient pu se décider à y entamer des travaux pour y vivre enfin pacifiquement, côte à côte, sauf qu'il y avait les insurmontables problèmes financiers que ni l'une ni l'autre ni les deux ensemble n'étaient en mesure de résoudre. Les traces et les stigmates laissés par la guerre et par plusieurs années de manque de moyens et de soins étaient visibles partout quand on regardait avec un peu d'attention les meubles, les tapis et les rideaux fatigués. Face à ce délabrement, je me disais que la seule solution désormais était le retour de Hareth. Il m'arrivait aussi, discrètement, de le répéter à Jamilé, qui opinait en se demandant comme moi si ce garçon reviendrait jamais. Seule Karine semblait croire à son retour, à moins que, à force de le désirer plus ardemment que nous tous, elle ne prît son désir pour une intime conviction, essayant d'en convaincre sa mère ou sa tante. Peut-être était-ce aussi l'ambiance, qui était au beau fixe, qui l'encourageait à y croire. À partir du milieu de l'automne de 1976, la guerre en effet s'achemina vers sa conclusion. Les Syriens étaient entrés dans le pays, venant au secours des milices chrétiennes, et la victoire s'était décidée pour ces dernières après avoir changé de camp. Les routes commençaient à être rouvertes partout, et alors qu'on venait juste de dégager celle qui passait devant la propriété un nouveau facteur apporta un paquet d'une vingtaine de lettres restées à la poste depuis plus d'un an, et dont l'immense majorité était de Hareth. Il y avait celles qu'il adressait à ses parents et où il édulcorait les choses pour ne pas leur causer d'inquiétudes, et il y avait celles qu'il envoyait à sa sœur et où il racontait les histoires qu'il allait me narrer lui-même à son retour, sur des navires en bois qu'il avait acquis et sur une guerre de mercenaires qui n'avait pas eu lieu. Karine passait des heures couchée sur le ventre en travers de son lit à les lire et les relire. Sa mère lui demandait ce qu'il y avait de plus, mais Karine haussait les épaules et répondait : « Les mêmes

choses que dans les vôtres, mais autrement tournées. »
Elle n'en disait pas plus, et c'était simplement parce qu'elle savait que tout cela nous inquiéterait, ces folies du bout du monde qui devaient aussi l'inquiéter elle-même. Et sans doute dut-elle lui en vouloir d'être si loin, de perdre son temps à aimer et à être si violemment aimé, quand à ses yeux il ne pouvait y avoir d'autre priorité que de revenir s'occuper du domaine en ruine. Mais de manière secrète, obscure, incompréhensible, elle savait qu'il reviendrait, et en attendant elle avait recommencé à sortir le soir avec des hommes que je n'ai jamais vus parce qu'elle ne nous les présentait pas, qui ne descendaient jamais de voiture parce qu'elle ne voulait pas qu'ils en descendent lorsqu'ils se garaient un instant devant mon perron quand ils venaient la chercher, ou quand ils la ramenaient, tard la nuit. Continuant à loger sur place, je ne dormais pas avant d'être assuré qu'elle était bien rentrée, à l'instar de sa mère dans sa chambre, me tournant et me retournant dans mon lit, contenant mon envie de sortir, de me poster sur le perron. De crainte que Karine ne me reprochât de l'espionner, je demeurais donc couché, les yeux ouverts dans le noir, jusqu'à entendre le ronflement d'un moteur, puis le bruit des pneus sur le gravier, puis des voix et enfin le claquement d'une portière, comme une délivrance.

16

Je ne sais à partir de quel moment Karine commença à avoir des inquiétudes sur l'absence trop prolongée de son frère, ni où s'arrêta le récit que Hareth lui faisait dans ses lettres. Pendant pas mal de temps encore nous en reçûmes, mais sans cesse décalées, rédigées à des dates déjà lointaines, si bien que lorsqu'on lisait ce qu'il avait envoyé de Téhéran il était déjà passé en Afghanistan, s'il est vrai qu'il y alla, comme il le prétendit, ce que jamais je ne réussirai, ni personne d'ailleurs, à vérifier. Mais auparavant, donc, il resta une année entière et même plus dans la capitale de l'Iran, où il retrouva son amante afghane. Ils y vécurent en amoureux clandestins, tous les deux séparément dans le même hôtel de luxe où nul ne découvrit qu'ils se connaissaient. Le jour, ils allaient ensemble dans les quartiers du centre, dans le bazar ou à Chahr Rey voir laver les tapis, et en me parlant de cette ville Hareth évoquait la fraîcheur des platanes et les montagnes que l'on voyait au bout de chaque rue. « Ce n'est pas ce que tu crois », me disait-il, c'était avant la révolution, il y avait plus de femmes en bikini que de femmes voilées, surtout dans les quartiers du nord, où ils allaient tous les deux dans les boîtes de nuit. Moi je lui disais que c'était quand même bizarre, cette femme que son mari laissait ainsi seule, et lui m'expliquait que le mari, avec sa barbiche et ses bagouzes aux doigts, cherchait à se débarrasser de son épouse parce qu'il était courcur et amateur de prostituées de luxe, et qu'il trouvait sa femme trop jeune et trop innocente, ce qu'elle jouait à lui faire croire en feignant la pruderie. Elle exigeait la plus parfaite obscurité en couchant avec lui et devenait rigide comme une planche quand il l'approchait. Elle rapportait cela à Hareth tout en se dénudant pour lui d'un air provocant et en l'invitant avec des mots obscènes à la prendre, et Hareth riait en me racontant ça parce qu'il voyait que je rougissais et que j'étais embarrassé. Il me rassurait en disant qu'hélas tout a une fin, et surtout ce genre d'amours brûlantes. Le mari diplomate arriva pour prendre son nouveau poste et les deux amants ne purent plus se voir aussi aisément. Les choses se distendirent en quelques semaines, et elles avaient été jusque-là si intenses que cette baisse de régime fut fatale à leur relation. Il y eut une ou deux disputes, au terme desquelles Hareth décida de quitter Téhéran, en se persuadant que c'était provisoire. Avec Torran, qui avait entre-temps arpenté l'Iran, il alla à Hamadan, puis à Tabriz, puis dans les montagnes de l'Elbrouz. Il me parla de forêts, de villages de bûcherons et aussi de la mer qu'on apercevait au loin, comme un fabuleux mirage, et de cultures semblables à celles de l'Asie des moussons. J'étais un peu perdu, je ne voyais plus de quelle mer il parlait, et il fallut qu'il m'explique que c'était la Caspienne, où on produisait le meilleur caviar au monde. Il passa ensuite des semaines dans des villes au bord de la steppe, où les bazars étaient pleins de selles pour les chevaux, de tapis turkmènes et de chapeaux d'astrakan. Ils obtinrent une autorisation pour s'approcher de villages frontaliers de l'URSS dans lesquels ils assistèrent à des courses de chevaux lors de fêtes bariolées où dominaient les couleurs rouge et verte et les dents blanches des femmes qui riaient au milieu des clameurs des cavaliers et des spectateurs. Le soir, dans une auberge minable et en consultant ses cartes, Torran découvrit que Merv la fabuleuse n'était pas très loin. Pas très loin, ça voulait dire trois cents kilomètres, et à l'intérieur de l'Union soviétique de surcroît. Ils firent des plans, projetèrent d'y aller puis de revenir non vers l'Iran mais vers l'Afghanistan et vers Balkh, comme le faisaient jadis les tribus nomades qui envahissaient les régions sédentaires du Sud. Mais ils ne trouvèrent pas le moyen d'entrer au Turkménistan, malgré le réseau de passeurs et de contrebandiers qu'ils sollicitèrent pendant des semaines, et malgré les histoires de douaniers soviétiques sensibles aux liasses de dollars qu'on leur promettait. Ils ne virent pas Merv la fabuleuse perdue dans les sables, ils n'entrèrent pas en Afghanistan comme les tribus nomades. Ils allèrent en bus à Machad et de là ils prirent le train jusqu'à Herat. Hareth y eut des aventures avec des touristes anglaises et américaines qui parcouraient indolemment les bazars de la ville, le nombril à l'air, dans de longues robes, parmi les négociants ouzbeks et les porteurs baloutches. Elles allaient à Katmandou, comme beaucoup de leurs semblables. Elles avaient de petits seins, me dit Hareth, un regard translucide ou d'un bleu plus violent que celui des lacs de montagne, et tout à l'opposé de celui, noir et farouche, de son amante afghane. Il couchait avec elles et elles déliraient de joie sous l'effet de la cocaïne alors que lui ne trouvait de véritable plaisir qu'en pensant qu'il se débauchait sur les terres natales de son unique amour, resté à Téhéran.

Finalement, il repartit avec son Français et ils allèrent jusqu'à Balkh, d'où durant des jours ils tentèrent à nouveau de trouver un moyen d'entrer en Union soviétique et d'arriver à Samarkand. Mais rien n'y fit, et c'est durant leur séjour à Balkh qu'eurent lieu le coup d'État et la mort du président Daoud. Torran tomba malade en mangeant quelque chose d'avarié dans une baraque. La fièvre l'assomma durant une semaine puis elle tomba, mais il était si épuisé qu'il ne bougea pas de la petite hôtellerie tandis que Hareth se promenait en ville, avant de prendre un bus pour une cité plus à l'est, réputée pour ses chevaux et ses marchés pour cavaliers. Il y assista à de nouvelles fêtes équestres. C'est là qu'il rencontra un jeune Ouzbek du nom de Murat qui lui servit de guide pendant plusieurs jours, moyennant quelques dinars. Ce garçon parlait un peu français et Hareth apprit qu'il était au service d'archéologues qui travaillaient sur un site plus à l'est encore, au croisement de l'Amou-Daria et de je ne sais plus quel autre fleuve dont le nom fit un effet immense sur Hareth. Le site était interdit, parce qu'il était trop près de la frontière avec le Tadjikistan soviétique, mais le garçon lui fit miroiter la possibilité d'y aller quand même, vu que les fouilles avaient été abandonnées après le coup d'État et les consignes venues de France. C'était aux confins des steppes, ils roulèrent des heures sur des pistes, alors qu'au loin les premiers monts pelés de ce qui toujours plus à l'est devient l'Himalaya dessinaient d'étranges arêtes que le soleil teintait de vermeil et de pourpre. On était au printemps, me rappela-t-il, et, outre les champs de coton et la blancheur de leurs récoltes, le paysage aride était couvert de coquelicots à perte de vue. Des cavaliers surgissaient, creusant des sillons dans ce tapis sang et neige, et venaient vers eux au galop avant de défier la camionnette à la course. Enfin ils arrivèrent sur le site abandonné, au bord du fleuve, en face d'une grande falaise qui s'élevait de l'autre côté du lent et majestueux cours d'eau. Ce n'est qu'à son retour, ici, bien des mois plus tard, qu'il comprit de quelle ville il s'agissait, et que c'était l'une des plus orientales des cités grecques fondées par Alexandre, aux frontières de la Chine, le point de rencontre antique entre les mercenaires méditerranéens, les paysans ouzbeks et les négociants chinois. Mais il n'y avait plus en guise de souvenirs de ce passé que de vastes tumulus incompréhensibles perdus dans une steppe immense et, au loin, la présence obsédante et grandiose des montagnes bordant la Chine. Il arpenta néanmoins les lieux avec une attention passionnée, essayant de graver le plus d'images possible dans sa mémoire, et Murat le laissa à sa contemplation, allant s'asseoir à l'ombre d'un peuplier. À leur retour, en fin d'après-midi, ils s'arrêtèrent près d'un campement de bergers qui souhaitaient transporter quelques moutons jusqu'à la ville. Cela pouvait faire un peu d'argent en plus à Murat et Hareth accepta avec plaisir d'attendre le lendemain, car des animaux devaient encore arriver. Durant la soirée, il galopa dans la steppe légèrement vallonnée et rougie par les coquelicots, sur des chevaux harnachés que les cavaliers de la tribu lui prêtaient alternativement. On le défiait à la course, il allait aux côtés de jeunes aux dents éclatantes ou de cavaliers plus âgés à la barbiche pointue et aux yeux brillants qui ralentissaient le rythme de leur cavalcade par politesse pour lui. Puis il revenait vers le campement et vers les troupeaux et se plaisait à penser qu'il faisait comme les guerriers anciens après leurs razzias ou leurs expéditions de reconnaissance. Le soir, des hommes à pied apparurent, coiffés de bérets et leur manteau sur l'épaule. Puis l'obscurité vint, on fit un feu, et pour tout le monde la présence de Hareth était une distraction inespérée. Les chevaux regroupés frémissaient dans le noir, le bétail rêvait et s'exprimait dans son sommeil, et Hareth entendit des histoires fabuleuses sur des guerres tribales et des begs sanguinaires dans leur forteresse, sur des princes poètes et sur la culture du coton. Vers le milieu de la nuit, le feu mourut progressivement, et on se coucha, enroulés dans des manteaux. Mais Hareth, étendu sous le ciel nocturne des steppes mythiques de Bactriane, ne put fermer l'œil, le regard ébloui par la poussière d'argent qui miroitait au-dessus de lui, presque à portée de main, pas tout à fait la même et pas tout à fait une autre que celle sous laquelle avaient campé les peuples indo-européens en marche vers le Sud, les armées d'Alexandre le Grand ou celles des envahisseurs scythes ou chinois. Il ne songeait pas, me dit-il, à la ridicule vanité des hommes face à un cosmos qui les ignorait et ne saurait jamais rien d'eux ni de leurs milliers d'années de civilisation, il ne songeait pas non plus au fait que, au regard du scintillement infini de l'univers, l'histoire humaine n'avait sans doute pas plus de consistance qu'une seconde ou deux de l'existence d'un individu sur terre. Non, il pensait au contraire qu'à un moment éphémère de l'histoire insondable du cosmos et de son temps infini, en un point perdu de l'espace, une intelligence et une conscience éphémères, celles des êtres humains, comme un miroir avaient reflété et pensé cette immensité à laquelle aucune autre intelligence n'avait donné d'existence ni de sens et n'en donnera probablement jamais plus. Lorsqu'il me le raconta, bien plus tard, il conclut en disant avec un sourire et tout en pensant à quelque chose que je ne sus déchiffrer que cette nuit afghane avait été sa part d'immortalité.

17

Je ne suis pas sûr de l'avoir bien compris, mais j'y repense souvent, et je me dis qu'à l'heure où il cherchait sa part d'immortalité, au milieu de l'automne de 1978, nous étions ici, à nouveau confrontés à la noirceur des jours. La guerre avait recommencé, après la trêve de deux ans et le retournement d'alliance de l'armée syrienne, qui entra alors en conflit avec les milices chrétiennes. Mado était déjà remontée chez elle mais continuait de vivre pacifiquement avec Marie. Les deux belles-sœurs prenaient leurs repas ensemble et se tenaient compagnie au salon. Leurs discussions n'étaient pas très animées, mais elles semblaient être passées de l'hostilité farouche à l'état dans lequel se trouvent deux amies qui cohabitent depuis des décennies et qui, sans plus se manifester la moindre sorte d'affection, restent à l'écoute l'une de l'autre, connaissent leurs manies et leurs habitudes respectives, les supportent sans protester, ne se parlent pas beaucoup mais d'un simple signe se comprennent. Lorsque les escarmouches reprirent et qu'elles ne purent plus sortir, elles se mirent à jouer aux cartes, en tête à tête, silencieusement, notant leurs scores et échangeant des fiches, chacune dans son monde, aurait-on dit, l'une pensant peut-être à son fils et l'autre à son passé ruiné. Quand une explosion ou une fusillade retentissaient, elles levaient à peine le nez. Parfois, Mado demandait distraitement si « les nôtres » pouvaient tenir contre une armée régulière. Marie, en examinant ses cartes et en composant son jeu, faisait une moue d'ignorance. Il faut dire qu'au commencement les choses étaient très confuses, les canonnades étaient sporadiques et lointaines, on ne savait pas quelle tournure les affrontements allaient prendre. L'ancien front qui nous séparait de Hayy el-Bir restait calme et les rues demeuraient ouvertes, même si elles étaient vides et même si une rumeur courut sur une incursion, réelle ou pas, d'un commando syrien qui aurait inexplicablement enlevé deux garçons dans l'immeuble des Kheir, à quelques centaines de mètres de chez nous. Mado et Marie écoutaient d'un air vague, presque agacé, comme si chaque nouvelle, qui était forcément une mauvaise nouvelle, était destinée à les agresser personnellement. Marie appelait son frère, ou les Kheir, glanait des informations, se rassurait puis répétait ce qu'elle avait entendu à Mado. Noula venait parfois, dans la matinée, ainsi que certains membres de la tribu depuis longtemps dispersée des Hayek, ou d'anciens membres de la clientèle de Skandar. Et comme il n'était question que de l'armée syrienne, des milices et des conjectures sur une guerre encore floue, je sentais que les deux belles-sœurs n'avaient qu'une envie, c'était qu'on les laissât en paix, à jouer aux cartes, à préparer des gâteaux ou à s'occuper des rosiers que leurs soins communs avaient réussi à faire repousser, au pied de mon perron.

Mais les choses ne durèrent pas, les deux femmes eurent beau avoir envie que ces histoires s'achèvent sans qu'elles aient eu à sortir du train de leur vie quotidienne, sans qu'elles aient eu à revenir aux soucis et aux inquiétudes, les événements finirent par les arracher, et nous tous avec, à leurs chimères et à l'espoir que tout cela ne serait que passager. Des bombardements violents nous remirent dans l'ambiance que l'on croyait révolue et, un matin de brève accalmie, un groupe de combattants des milices réapparues se présenta devant mon perron. Je n'aimais guère ce genre de visite et mon inquiétude augmenta lorsqu'on me signala que l'un de ces hommes était le commandant de la région, le fameux Jamal Awad. Parmi tous ces treillis, il était en vêtements civils, et retenait d'une main une veste militaire nonchalamment jetée sur une épaule. Il avait un air singulier, où se côtoyaient une sorte de franchise amicale et une fermeté presque violente. Il demanda à voir mes patronnes, et je n'eus d'autre choix que de les introduire, lui et son second, un personnage fluet, aux yeux d'un bleu pénible, au regard un peu vicieux, tranchant comme un fil de rasoir et soutenu par un rictus entendu et désagréable. Les belles-sœurs étaient au salon, les deux miliciens saluèrent et s'assirent dans des fauteuils. Après quelques regards curieux promenés à la ronde sur le décor et ses très beaux restes, et au terme d'hésitations et de tournures rhétoriques multiples qui indiquaient sa gêne, Awad annonça qu'il était dans l'obligation de réquisitionner les usines, ou au moins l'une d'entre elles, dont il les pria de lui remettre les clés, avec courtoisie et comme s'il venait pour une location. Le long silence des femmes exprima bien leur surprise, mais aussi leur embarras, car elles ne pouvaient refuser l'accès aux fabriques, étant donné que ces dernières n'étaient plus à elles. Pourtant, elles n'aimaient pas du tout l'idée que ce vieux patrimoine pût devenir l'objet de convoitises ou de visées guerrières. Et il y avait surtout l'inquiétude, dont comme moi à cet instant elles pressentirent qu'elle allait s'installer au cœur de nos vies, de savoir que désormais des miliciens logeraient quasiment sur le domaine. Pour atténuer l'impact de la nouvelle, Awad ajouta aimablement que cela n'entraînerait aucun désagrément pour nous, qu'il comptait juste utiliser les lieux pour de la logistique et que les fabriques seraient évacuées une fois les événements passés. Suivit un nouveau silence, puis les belles-sœurs posèrent quelques questions afin de s'assurer au moins que cette requête ne signifiait pas que le front se rapprochait encore un peu plus de la maison. Le chef rit d'un air entendu et certifia que non. Les deux femmes, en se consultant du regard pour constater leur impuissance, lui accordèrent alors à leur corps défendant ce qu'il voulait, comme si cela relevait d'une nécessité à laquelle elles souscrivaient et que cette mainmise fût pour le bien de tous. Alors que la conversation était en passe de s'achever, Karine entra. Awad, qui s'apprêtait à se lever pour partir, changea ses plans, saisi par l'irruption de la jeune femme, à qui il tendit la main en posant sur elle un regard enveloppant, plein d'une curiosité interloquée. Puis il reprit ses esprits et lui annonça que « ces dames » avaient été extrêmement coopératives. Karine toisa sa mère et sa tante, comprenant instantanément que ses aînées n'avaient pu faire autrement. Elle ne commenta pas la nouvelle mais ne dit plus un mot, malgré les tentatives du chef pour prolonger la conversation en posant des questions sur la villa, sur son passé, et pour savoir si on avait été gênés lors de la guerre des années passées, des questions qui étaient en partie adressées à Karine. Mais celle-ci demeurait obstinément silencieuse et pensive. Awad l'observait d'un air d'interrogation muette, ce que faisait aussi son second, mais de manière sournoise, avec un sourire entendu. Lorsque finalement les deux hommes se levèrent pour prendre congé, Awad salua la fille de mes patrons en posant sur elle un nouveau regard long et passionné. Karine s'en aperçut mais ne parut pas s'en émouvoir plus que ça. Moi, en revanche, mes appréhensions s'accrurent lorsque j'allai dans les rues intérieures de Ayn Chir, où dans les quelques boutiques ouvertes on évoquait évidemment l'unité de combattants de Awad. C'est là que j'appris que ce dernier était un proche des Kataëb, qu'il avait participé à la bataille par laquelle ceux-ci s'étaient débarrassés de leurs rivaux du PNL, et qu'il avait personnellement éliminé certains autres chefs ou des adversaires du parti des Gemayel. Les gens du quartier en parlaient avec un mélange d'admiration et de réprobation dubitative, on avait tendance à cette époque à trouver des excuses à toutes les exactions, sous prétexte qu'il fallait mettre de l'ordre dans les rangs chrétiens. Je ne pus m'empêcher de frémir à l'idée que cet homme s'était tenu dans un fauteuil du salon en face de mes patronnes, je revoyais son air civilisé, ses manières de garçon bien élevé, parlant français, et j'eus des sueurs froides en songeant à son intérêt presque affiché pour Karine.

Quelques jours après, les miliciens s'installèrent dans l'ancienne usine de textile et leur chef nous visita à nouveau, comme un voisin nouvellement installé qui fait du bruit ou de menus dégâts et vient s'en excuser en prévision de bons rapports ultérieurs. J'aurais pu trouver ça aberrant si je n'avais compris qu'il cherchait à revoir Karine. Mais cette dernière ne lui fit pas le cadeau de sa présence. Le chef de guerre dut rester avec les deux belles-sœurs et leur faire la conversation, et j'aurais douté de mes intuitions s'il ne s'était résolu à demander, précautionneusement, avec un naturel si faux qu'il en était presque comique, si la « demoiselle » n'était pas là. On répondit qu'elle était absente, mais Awad comprit évidemment que c'était un mensonge, ce qui ne me rassura pas. Lorsque je dis à Jamilé que cet homme était attiré par Karine, elle m'examina d'un air amusé, comme si après tout c'était possible, puisque tout le monde était attiré par Karine, et où était donc le problème ? Je m'étonnai de sa tolérance, mais celle-ci venait de ce que jamais milicien ne fut plus empressé que Jamal Awad de se tenir au service des civils qu'il côtoyait. Sauf qu'à l'évidence cela ne pouvait être totalement désintéressé et prenait même à mes yeux l'allure d'une forme de pression. Les combattants de Jamal ne cessaient pas d'entrer et de sortir de leur casernement en passant devant la maison avec leurs armes, ou bien ils traînaient en tenue débraillée, comme s'ils étaient encore dans leur dortoir, et venaient nonchalamment remplir leurs bidons d'eau aux robinets que nous utilisions pour l'arrosage des haies. Je les laissais faire pour éviter d'être rabroué ou maltraité, tout en me disant que cela était concerté de la part de Awad, qui en effet se décida à y mettre bon ordre avant de se fendre d'une visite chez nous pour promettre que ces comportements ne se reproduiraient plus. Puis il vint un jour demander si les déprédations de ses hommes sur les arbres n'étaient pas trop graves, parce qu'on lui avait fait un rapport à ce propos. Les deux belles-sœurs aussi bien que Jamilé finirent par le trouver charmant, et le personnage avait effectivement quelque chose de séduisant, c'était même aussi je crois l'avis de Karine, qui pourtant à aucun moment ne sembla vouloir lui accorder ne serait-ce qu'une bribe d'attention.

C'est vers cette époque que ma jeune patronne décida de se mettre à la recherche active de son frère pour le sommer de rentrer et de s'occuper de ce qui restait des propriétés avant que tout ne soit complètement perdu. Grâce à ses cousines, elle réussit à trouver la mère du négociant en lavande de Shatt el-Ajouz avec qui Hareth s'était lié d'amitié. Elle m'annonça un matin qu'on allait à Kfar Issa, dans la Bekaa, ce que nous fîmes elle et moi clandestinement pour ne pas inquiéter Marie. Nous mîmes des heures à arriver, à trouver le domaine où cette femme vivait. J'attendis Karine sur le bord d'un champ de maïs, en regardant des travailleurs agricoles jouer avec l'eau d'un tuyau percé. Sur le chemin du retour, elle me raconta ce qu'elle avait obtenu comme renseignements. Le surlendemain, elle réussit après une attente interminable à joindre par téléphone l'émirat de Shatt el-Ajouz, mais sans trouver l'ancien associé de Hareth. Puis les lignes ne fonctionnèrent plus et je l'emmenai à la centrale de Ayn Chir, où je craignis que ma jeune patronne dût attendre le bon vouloir de petites employées désagréables. Mais celles-ci la reconnurent, on obtint Shatt el-Ajouz et Karine put enfin parler à l'ancien ami de Hareth. Grâce à lui elle comprit que la femme dont son frère était amoureux était l'épouse d'un diplomate afghan à Téhéran, ce qu'il ne lui avait apparemment pas dit dans ses ultimes lettres. Au bout d'une semaine, elle trouva le chargé d'affaires afghan à Beyrouth, qui lui promit de chercher qui était l'ambassadeur d'Afghanistan en Iran. Mais cela prit du temps, et les événements là-bas retardèrent la chose. Tout fut ensuite suspendu parce que l'artillerie syrienne se déchaîna à nouveau contre les quartiers Est de Beyrouth. Durant les nuits sans sommeil, je demeurais les yeux ouverts à compter les coups, en me demandant si l'installation des combattants de Awad n'allait pas attirer sur nous de nouvelles calamités. Quand je mettais le nez dehors, je regardais toujours du côté des usines, redoutant d'y discerner quelque chose de neuf ou de suspect, quelque chose susceptible d'attirer les obus syriens, mais il n'y avait ni canons ni déploiement de quoi que ce soit, et il devint évident que Jamal Awad et les siens se servaient des fabriques comme d'un simple baraquement. Ce voisinage inoffensif réconforta mes patronnes. « À la limite, disait distraitement Mado, leur présence est rassurante », ce à quoi Marie opinait sans réfléchir. Lorsque les affrontements s'interrompirent, Jamal vint à plusieurs reprises pour demander si nous avions besoin de raccords à l'eau depuis les citernes qu'il avait fait apporter, ou d'électricité, parce qu'il avait fait installer un générateur pour le casernement. Les deux belles-sœurs étaient embarrassées par tant de prévenance, et n'en devinaient pas la cause. Karine de son côté continuait d'ignorer le chef de guerre, qu'elle saluait distraitement quand elle le croisait. Mais les choses finirent par prendre la tournure que je redoutais. Un jour qu'elle était sur le perron et qu'il arrivait, en tenue militaire, pour parler de fils qui pendaient dangereusement de l'autre côté de la villa, elle éclata de rire et lui demanda s'il n'avait rien d'autre à faire que de s'occuper de ces questions d'intendance. Puis elle ajouta, en lui adressant un regard plein d'une ironie provocante et catastrophique : « Vous feriez un bon majordome. » J'étais debout à ses côtés, et je crus que le monde allait partir en morceaux. Je n'osai pas regarder Awad, de peur qu'il ne m'en veuille d'avoir assisté à l'affront qu'il venait de subir. Mais lui n'avait cure de ma présence, il saisit Karine par le bras alors qu'elle s'apprêtait à lui tourner le dos, puis presque aussitôt, comme si cela lui avait brûlé la paume de la main, il la lâcha avant que j'aie pu faire un geste pour m'interposer. « N'agissez pas si légèrement avec moi », lui dit-elle froidement tandis que je m'accoudais à la rambarde, regardant au loin comme si je n'avais rien vu ni rien entendu.

Durant les semaines qui suivirent cette scène, on ne vit plus Jamal Awad et il me parut évident que c'était à cause de la remarque de Karine et de l'humiliation que cela avait été pour lui. Ses hommes en revanche recommencèrent à passer ostensiblement devant la villa, empiétant sur notre territoire et circulant librement dans les vergers. Je craignis qu'ils n'aillent plus loin et ne se rapprochent encore de la maison, pour nous pousser à partir. Awad, retiré dans son casernement, me faisait l'effet d'un chef barbare campant devant une ville et attendant qu'on lui livre une femme qu'il aime ou s'apprêtant à punir une communauté entière à cause d'une manifestation de mépris de la part d'une amante infidèle. Je l'imaginais dans l'usine, là où plus tard, lors du retour de Hareth, j'allais retrouver l'odeur de linge bouilli, mais refroidie, bizarre, mêlée à celles de brûlé, d'huile et de poudre. J'imaginais les miliciens assis dans des fauteuils sur le terre-plein, d'autres dans des hamacs, et à l'intérieur, dans l'une des immenses salles vides où jadis vrombissaient les machines, Awad confortablement installé dans une bergère, les pieds sur le sol en béton nu, noirci à l'emplacement des tisseuses mécaniques, au milieu de bureaux en fer récupérés dans les locaux de l'ancienne comptabilité et couverts d'armes et d'objets inutiles. Et, dans sa bergère, je l'imaginais ruminant une colère froide, un ressentiment d'amoureux éconduit, méprisé par pur snobisme social par une beauté aristocratique. Et cela plus que tout le reste me faisait peur, parce qu'un homme de condition modeste mais puissant peut vouloir se venger de ceux qui l'ont rabaissé, surtout si, comme c'était le cas des chefs de milice à ce moment, il pensait lui aussi que le règne des vieilles familles était révolu. Je me demandais en permanence jusqu'à quel point il était aussi courtois et raisonnable que tous voulaient le croire. Et tandis que je fantasmais sur Awad ruminant sa déception et son déshonneur, Karine continuait à tenter de joindre Hareth. Le chargé d'affaires afghan était parti pendant les derniers combats. Il fallut convaincre son successeur de reprendre les recherches, et, finalement, c'est sur l'ambassade d'Iran que nous dûmes nous rabattre. J'accompagnai ma jeune patronne à Beyrouth-Ouest. Nous fûmes pris dans un effroyable embouteillage mais l'attaché iranien nous attendit. Il écouta Karine avec curiosité et intérêt, lui demandant à peine les raisons de son désir de savoir qui était l'ambassadeur d'Afghanistan à Téhéran, ce qui était tout de même singulier pour une jeune femme libanaise. Karine lui mentit un peu, mais pas exagérément, le diplomate la trouva « exquise », c'est le mot qu'il employa en français, et il lui fit un baisemain quand elle se leva pour partir. Ce n'était pas encore la République islamique là-bas et l'ambassadeur était celui du shah. Il promit de mener des recherches et il les mena. Un matin, de la maison, Karine put ainsi faire appeler celle qui n'était déjà plus que l'ancienne amante de Hareth, à Téhéran. Ma jeune patronne était convaincue qu'elle touchait au but, elle frémissait en attendant l'appel de la centrale qui devait lui transmettre la communication. J'étais sur mon perron, j'entendis le téléphone, j'entendis Karine parler, puis raccrocher et venir me rejoindre, silencieuse. Je compris que nous n'y étions pas. Elle me dit laconiquement que Hareth n'était plus à Téhéran, qu'il était parti pour l'Afghanistan. Nous nous tûmes. Karine avait un regard las, mais elle était belle sans maquillage, les yeux assombris mais brillants. Je l'aimais, Karine, il n'y avait rien à dire, j'étais prêt à tout pour qu'elle puisse être heureuse, et je fus content de deviner qu'elle n'allait pas renoncer quand elle dit qu'il nous fallait trouver les coordonnées de notre ambassade à Kaboul, « si nous en avons une », ajouta-t-elle. Sa détermination me plaisait, mais elle fut une fois encore entravée vers la fin de l'été, car les bombardements reprirent. Ce furent les plus durs que nous ayons subis jusque-là, des sons nouveaux et assez terrifiants nous tenaient éveillés, de sombres pulsations dans la nuit étaient suivies à intervalles réguliers de déflagrations énormes, traînantes, et nous apprîmes que nous étions bombardés par les orgues de Staline. Les missiles volaient au-dessus de nos têtes. Je ne comprenais pas où ils allaient s'écraser, j'entendais juste leurs sifflements, ou plutôt des sortes de froissements métalliques atroces, et je me disais pour me rassurer qu'un obus qui siffle ou qui froisse l'air, même aussi horriblement, est un obus qui passe, tout en me demandant si le lendemain je trouverais pierre sur pierre à mon réveil. Le matin, dehors, il flottait une odeur de brûlé et un silence écrasant, mais aucune modification du décor autour de nous n'était perceptible. Pourtant, une nuit, je pensai que ça y était, le quartier allait partir en fumée. Une explosion terrifiante emporta dans un hurlement toutes les vitres que je m'échinais à changer chaque fois qu'elles se brisaient. Nous nous retrouvâmes tous dans le vestibule.

Une odeur âcre venait de l'extérieur. Je sortis malgré les injonctions. Quelque chose brûlait, à une centaine de mètres. Je pensai que c'était un immeuble entier, mais les miliciens de Awad qui passaient devant le perron m'informèrent que c'était juste un appartement. Et c'est dans ces conditions que, un soir où les choses s'annonçaient encore assez éprouvantes, Awad lui-même frappa à la porte, en treillis et armé, accompagné de son exécrable second aux yeux de renard et à l'air d'épervier, ainsi que de deux autres éléments en armes. C'est moi qui leur ouvris et en les voyant je me dis que, cette fois, ils allaient envahir la maison. Ils avaient des mines farouches et préoccupées qui augmentèrent mes appréhensions. Je les conduisis au salon, où Marie et Mado achevaient de dîner sur de petits plateaux tandis que Karine lisait, à moitié enfouie dans un fauteuil, à l'autre bout de la pièce, sous un lampadaire sur pied. Awad entra seul dans la grande pièce et déclara qu'il devait inspecter le toit de la villa. La panique se lut dans le regard des femmes, on se leva, on s'agita, on donna évidemment le feu vert, et les quatre hommes se précipitèrent sans ménagement vers l'étage, puis vers la porte qui ouvrait sur les greniers puis le toit. Je voulus les accompagner mais l'un d'entre eux me stoppa d'un signe. Je dis qu'il fallait que quelqu'un ouvrît, il tendit la main et je lui remis les clés. Cinq minutes après, ils réapparurent. Marie, qui avait retrouvé son calme, demanda ce qui se passait et sembla presque implorer que l'on ne se mît pas à tirer depuis le toit. Avec la satisfaction ambiguë de celui qui est venu semer l'inquiétude pour pouvoir ensuite rassurer et s'attirer de la reconnaissance, Awad répondit en riant qu'il n'était pas question de ça, puis il ressortit avec ses compagnons, sans avoir lancé un seul regard du côté du salon où Karine avait posé son livre et écoutait sans bouger.

Au cours de ces nuits sinistres, la présence si proche du chef de guerre m'effrayait plus que jamais. Je ne savais à quel moment, dans le chaos et la griserie des combats, ses sentiments contrariés pouvaient soudain tourner à l'aigre, et la violence se déclencher. Nous étions à sa merci, la facilité qu'il y avait à mettre la main sur les femmes était telle que j'en perdis le sommeil, et cela se poursuivit même lorsque l'accalmie revint, que la guerre progressivement entra en latence. Plus rien ne se passait, les fronts restaient figés. Les combattants de Awad partaient le soir et revenaient à l'aube, ils s'occupaient de la surveillance des lignes de démarcation, ou de missions que l'on ne comprenait pas. Pour le reste, le quartier restait désert, mais eux étaient là, dans leur caserne qui avait été naguère la vénérable usine des Hayek, comme si cette séparation entre le monde des hommes et celui des femmes était devenue naturelle, mais suspendue au bon vouloir des premiers, de ces guerriers qui n'importe quand pouvaient venir nous menacer, nous terroriser ou jouer avec nos nerfs. Au début de l'hiver, j'emmenai Karine au ministère des Affaires étrangères, où un ancien ami de son père était secrétaire général. Dans un bureau de cette vénérable demeure qu'occupait le ministère, le diplomate parla des Hayek avec chaleur, évoqua des souvenirs de soirées chez Skandar et Marie, se souvint d'un violoniste qui avait joué un soir un morceau de musique classique avec son archet sur le bord d'un verre en cristal, d'un trapéziste qui avait marché sur la table de la salle à manger en se déplaçant sur le sommet des bouteilles de vin qu'il prenait l'une après l'autre pour échasses, ou encore d'un illusionniste qui, durant une partie de poker, avait semé un tel désordre que l'on crut qu'il y avait dans le paquet de cartes qu'on utilisait six rois, huit valets et dix-sept trèfles, on vérifia, il n'en était rien, on rejoua, il sembla que le huit de cœur était passé deux fois, puis l'as de carreau, on changea le paquet mais le sortilège perdura. Le haut fonctionnaire s'oublia dans l'évocation du passé, puis il se lamenta sur les temps actuels où les voyous tenaient le pays et finit par s'apercevoir de l'impatience de Karine. Il se ressaisit et déclara qu'évidemment il enquêterait très vite pour savoir si Hareth était arrivé à Kaboul, sans pouvoir s'empêcher de rappeler qu'il avait tenu la cadette de Skandar, bébé, dans ses bras. Comme nous n'avions plus de téléphone, je dus emmener Karine à nouveau une semaine plus tard au ministère, où l'on apprit que Hareth ne s'était jamais présenté à l'ambassade du Liban à Kaboul.

Ce que nous ignorions en fait, c'est qu'à ce moment il était effectivement passé par Kaboul mais en était déjà parti, car à l'issue de son expérience dans la steppe afghane, selon ce qu'il me raconta plus tard, il avait subitement eu envie de rentrer. « Il y a des jours, me confia-t-il, où on se dit que, où qu'on aille désormais, ce sera pareil », et une nostalgie irrésistible pour la maison, les vergers, pour sa mère et sa sœur se mit à le tenailler. À son retour dans la petite ville où il l'avait laissé, il retrouva Torran d'aplomb, sauf qu'à l'hôtellerie on lui avait volé ses affaires, et tous ses papiers. Hareth n'y vit pas un gros problème, il pourrait s'en faire refaire auprès de son ambassade à Kaboul. Mais Torran n'était pas en odeur de sainteté auprès des autorités françaises, il avait quitté la Légion, il était mercenaire, usait abusivement de son passeport et ne pouvait se montrer pour en demander un autre sans avoir à se justifier. Hareth ravala ses craintes d'avoir à recommencer à traîner sur les routes. À Kaboul, il y avait encore des traces des combats autour du palais royal où le président Daoud et les siens avaient été massacrés et où les badauds entraient et sortaient comme dans un moulin, lorsqu'ils n'étaient pas attroupés autour des chars de l'armée. Les deux amis tentèrent une démarche à l'ambassade de France, située tout près du palais et où le personnel ne parlait que des obus tombés dans le jardin de la résidence durant le coup d'État, s'occupant distraitement de ce qu'il y avait à faire par ailleurs. Une semaine après, Hareth y retourna seul, prétextant une dysenterie de son ami. On le reçut cette fois avec beaucoup de questions et pas mal de curiosité hostile à propos du dépositaire de la demande, et les deux hommes comprirent qu'il n'y aurait pas de renouvellement de papiers. Sur une place où stationnaient les bus, près du fleuve, ils prirent un autocar pour Jalalabad, et de là, monnayant adroitement leur passage, ils se firent embarquer par des routiers qui devaient passer la frontière pakistanaise. Ils roulèrent des heures et des heures sur des routes en lacets, au milieu de paysages hallucinants. Leur camion chargé de ballots poussait lourdement dans les montées et entamait les descentes avec une lenteur désespérante. Ils s'arrêtaient souvent pour manger et boire du thé, à l'ombre du véhicule antique bariolé et peint de mille scènes, de dictons et de versets des livres saints, comme un manuscrit enluminé. L'intérieur de la cabine était aussi surchargé de gris-gris, de chapelets et de pendentifs qu'un temple hindou et le chauffeur parlait fort et riait de toutes ses moitiés de dents. Ils tentèrent de s'en faire un ami et lui firent miroiter des merveilles s'ils traversaient la frontière sans encombre. Ce qu'ils firent. Hareth était en règle et le Français se dissimula parmi les ballots, à l'arrière. Deux jours plus tard, ils prirent le train de Peshawar à Karachi où, las des hôtelleries et des auberges, ils s'installèrent dans un palace. Hareth réussit à entrer en contact avec l'un des capitaines de ses boutres et lui donna rendez-vous le plus vite possible dans le port de Karachi. Mais de tout cela, évidemment, nous étions ici dans la plus parfaite ignorance. Durant les semaines et les mois qui suivirent l'échec de nos infructueuses recherches, je ne cessai d'observer Karine, inquiet à l'idée qu'elle pourrait être prise d'abattement ou tentée de se replier à nouveau sur elle-même. Or c'est le contraire qui se produisit. Elle se mit en tête de s'occuper des jardins et des vergers, dont l'état était déplorable. Elle voulut reprendre la cueillette des oranges sur les pauvres arbres qui nous restaient, puis celle des pommes à pignons sur les pins qui n'avaient pas été élagués depuis trois ans. Mais elle n'y connaissait rien, et à la vérité elle ne s'y intéressait pas vraiment. C'étaient la grandeur symbolique des Hayek et le souvenir d'un monde gouverné par son père qu'elle avait chevillés au corps, dont elle se voulait le dernier défenseur, et non pas la matérialité de cette grandeur ni ce qu'avait fait Skandar au jour le jour pour la maintenir. Elle me chargea du travail, mais je lui en montrai assez lâchement les obstacles : l'état des arbres, la difficulté à arroser, la proximité des usines et la possibilité que nous nous fassions maltraiter par les miliciens. Ce dernier argument la mit dans une fureur froide, mais l'ouvrier agricole qui avait travaillé naguère chez nous et que j'allai quérir à Ayn Chir lui dit la même chose, glosa sur l'état désespéré des récoltes et sur l'impossibilité d'arroser avec les milices dans nos pattes. Marie et Mado elles-mêmes s'attachèrent à décourager Karine, et celle-ci finit par renoncer, non sans m'en vouloir et en se consolant peut-être à l'idée du retour de son frère, qui saurait, lui, comment faire marcher son monde. Et alors, tandis que Jamal, depuis l'usine, continuait à faire peser sur nous une abstraite menace et que sur sa moto, une sorte de grosse cylindrée qu'il avait acquise ou que son groupe avait confisquée et dont parfois nous entendions le vrombissement, il partait pour des courses folles qui rappelaient celles de Hareth ; tandis que, dans leur tranquille indifférence, sa mère et sa tante jouaient aux cartes, faisaient la cuisine ou se promenaient dans le potager et sous les pins et les eucalyptus, comme les patriciennes romaines se promenaient sur leurs terres et faisaient des pique-niques alors que les barbares déferlaient sur l'empire ; tandis donc que le monde semblait installé à nouveau dans une absurde et mortelle routine, Karine de son côté, entendant les hurlements de la moto de Jamal (et rêvant parfois peut-être que c'était celle de Hareth), ne cessait plus de regarder, comme je n'avais moi-même pas arrêté de le faire, vers le portail d'où son frère devait arriver. Elle s'était aussi remise à sortir le soir et chaque fois je craignais qu'elle ne rencontrât Jamal dans les restaurants ou les cafés où elle allait, que le chef de guerre ne la suivît, ne l'interceptât dans l'excès de sa jalousie ou de son désir. À son retour, toutes les nuits, elle devait rêver que durant son absence Hareth était rentré. Une lumière allumée au salon (sa mère l'attendant, inquiète, ou Jamilé s'attardant pour la même raison) lui faisait vainement battre le cœur. Au matin, elle se levait avec l'espoir de voir nos yeux brillants de joie et une inhabituelle précipitation dans nos tâches, signe que quelque chose de miraculeux s'était produit. D'où tenait-elle si puissamment que Hareth reviendrait, quelle intime conviction la portait, la faisait vivre ainsi dans cet espoir insensé, auquel je puisais moi-même, je ne sais pas. Mais Hareth ne revenait pas, et Karine à certains moments, en s'approchant de moi, me demandait comme si elle se parlait à elle-même s'il était possible qu'il eût décidé de ne jamais revenir, et d'autres fois se retenait de paniquer à l'idée qu'il lui était peut-être arrivé quelque chose. Mais lorsque sa mère levait les yeux de sur un livre ou une broderie et exprimait la même terrible appréhension dans un regard vide ou égaré, Karine la reprenait : « Je sais ce que tu penses, maman. Mais non, les mauvaises nouvelles trouvent toujours le moyen de parvenir. Or il n'y en a pas, alors attendons. » Nous attendions, nous n'avions plus rien à faire d'autre, et les choses au lieu de s'arranger allaient de mal en pis. À cette époque, et malgré le calme qui régnait, des affrontements sporadiques étaient toujours susceptibles d'éclater. Ils avaient lieu surtout dans le centre-ville, mais pouvaient se produire ailleurs, pour des raisons absurdes, trafics divers ou pressions d'un camp sur un autre pour obtenir un avantage dans une négociation. Il y eut une nuit une flambée de ce genre entre Hayy el-Bir et Ayn Chir et, cette nuit-là, Jamal Awad fut tué. On ne sut jamais le détail, et des rumeurs ensuite coururent sur le fait qu'il avait été éliminé non point durant un combat mais en marge de celui-ci, victime de l'une des innombrables et obscures guerres de chefs qui se déroulaient en parallèle à la guerre tout court. À l'aube, nous fûmes réveillés par une formidable explosion de coups de feu, des mitraillades inaccoutumées qui firent vibrer le sol et les murs.

C'étaient les manifestations de deuil et de colère des hommes de Awad dans l'usine à l'annonce de sa mort, mais nous ne l'apprîmes qu'un peu plus tard, quand tout se calma et qu'un milicien vint le matin à travers les vergers nous en exposer les raisons.

18

Le sentiment des femmes à l'égard de cette nouvelle se résuma à une tristesse nostalgique qu'elles traînèrent quelques jours. Puis elles invoquèrent la fatalité et en déplorèrent la cruauté, car elles avaient apprécié ce « jeune homme », comme elles disaient en parlant du chef de guerre. Quant à Karine, elle comprit qu'il allait falloir affronter une réalité encore plus rugueuse, parce que nous nous trouvions désormais à la merci du second de Awad, le sinistre Salloum, qui prit le commandement de l'unité de combattants. C'était l'individu au regard d'épervier, aux yeux bleu vif et inquiétants, celui qui observait Karine par en dessous avec un sourire en coin. Ce garçon était plus jeune que Awad, et semblait n'avoir retenu des règles du comportement humain que ce qu'il avait appris de la guerre, ou dans les discussions viriles entre garçons passablement frustrés. Et c'est avec beaucoup de déplaisir que je le vis à plusieurs reprises passer et repasser devant mon perron. Je ne savais ce qu'il cherchait, il devait préparer quelque chose, et finalement il vint nous rendre visite un soir, comme le faisait Awad. Il se présenta une première fois, comme si c'était naturel, comme si le successeur se devait de tenir le rôle de son prédécesseur, et sous couvert de renouer des liens. Mais il avait toujours son sourire narquois, et ses yeux fureteurs, tellement bleus qu'ils en étaient effarants. « Je comprends pourquoi on a peur des yeux bleus dans les montagnes, et pourquoi on leur prête un rôle néfaste », me dit Jamilé à son propos. La première fois qu'il vint, avec l'évidente envie de profiter du terrain balisé par Awad pour s'incruster chez nous, Karine ne lui adressa pratiquement pas la parole, tandis que Mado et Marie lui répondaient en marmonnant. Il n'en eut cure, buvant son whisky en s'essayant à paraître morose, en souvenir de Jamal. La fois suivante, il vint avec un autre milicien, et Karine était seule à la maison. Elle me demanda de rester à ses côtés, ce que je fis. Mais lui s'amusa à des allusions ridicules sur ma présence : « Est-ce que vous n'avez pas confiance ? Que craignez-vous ? Nous ne sommes pas des violeurs », et c'était tellement insistant, susurré avec cet air de renard qu'avait Salloum, pointu et louche quand il était embarrassé, que cela ne faisait que jeter la suspicion sinon sur ses intentions, du moins sur sa façon de concevoir les choses et sa relation avec les Hayek, et avec Karine en particulier. Quand il revint, j'eus la pénible tâche de lui signifier qu'il n'y avait personne à la maison. Il ironisa d'abord, parce qu'il savait que c'était faux, puis ne sut quelle contenance adopter, chercha mon assentiment sur une remarque graveleuse qu'il fit, enfin s'en retourna, les mains dans les poches de son pantalon civil, comme un vilain garçon dont on voit bien le manque d'assurance compensé par une morgue inquiétante.

Mais il était coriace, Salloum, et rien ne le décourageait dans ce qui s'apparentait à une véritable chasse à la femelle. Il devait être persuadé que Awad n'avait pas su y faire avec Karine et que cette dernière attendait le mâle en faisant la coquette. À ses yeux, toutes les femmes n'avaient qu'une envie, comme je l'entendis répéter une fois, en riant avec ses camarades, c'était de « se faire mettre par des hommes, des vrais ». Et du coup il trouvait naturel de se proposer à la place de celui qui était mort et dont il allait montrer combien il lui était supérieur. Il entreprit donc de faire comprendre à Karine qu'il était prêt, que c'était quand elle voulait, et moi je me demandai à voix haute devant Jamilé comment un garçon qui appartenait vraisemblablement à une famille respectable pouvait en arriver à penser si mal, et si vulgairement. Jamilé en profita pour se moquer de mes conceptions de la « famille respectable » et me rappela que l'essentiel était de faire attention à Karine, désormais. Et, en effet, il le fallait, parce que l'individu commença à faire pression. Il avait fait main basse sur la moto de Awad, et s'amusait à entrer dans le jardin et à en sortir en passant devant le perron. Il démarrait ensuite dans un fracas du tonnerre, puis ne cessait d'aller et venir dans les rues vides, entre les immeubles déserts, à dix mètres du front, avant de pénétrer à nouveau dans le jardin et de faire vrombir le moteur, estimant sans doute faire « viril » aux yeux et aux oreilles de Karine. Un jour que cette dernière rentrait en voiture, il la croisa, fit demi-tour, revint à son niveau en faisant hurler son engin, puis la doubla, commença à réaliser des figures autour de l'auto, se mettant debout, ou sur la tête, ou je ne sais quoi, dans une sorte de parade de séduction, après quoi il roula devant elle et la précéda dans le domaine, dont je les vis franchir le portail, lui devant sur la moto, et elle juste derrière. Elle s'avança jusqu'au garage pour ranger la voiture alors que lui ressortait par le portail, et j'entendis ses rugissements au loin tandis que Karine montait les marches du perron, imperturbable, froide, sans aucune trace d'inquiétude sur le visage mais seulement des marques d'agacement.

Toutes ces tentatives pour attirer l'attention de la jeune femme étaient évidemment inutiles, mais Marie s'inquiétait pour sa fille et multiplia les contacts pour essayer de déloger les miliciens et mettre un terme à tout cela, songeant peut-être avec amertume à son fils cadet, qu'elle estimait désormais sans cœur et irresponsable. Par un de ces mystères du fonctionnement de l'État libanais en ces temps-là, le facteur apporta une liasse de lettres, dont la plupart étaient de Hareth et où il nous parlait de l'Iran et de ses envies d'aller à Merv. C'était pour nous le comble de l'insupportable que ce garçon fût à ce point insensible à nos misères et nous entretînt si frivolement de ses voyages. Mais tandis qu'avec agacement nous l'imaginions au bout du monde, il était en route et revenait vers nous. L'un de ses boutres était arrivé dans le port de Karachi et il avait embarqué, puis il avait fait du cabotage le long des côtes vers le sud. Au niveau de la frontière avec l'Inde, une nuit, une barque quitta une plage rocheuse avec à son bord le mercenaire français, qui embarqua à son tour pour quitter le Pakistan où il était entré illégalement. Quelques jours plus tard, Hareth et Torran étaient à Mascate, alors que nous les pensions en Chine ou en Mongolie, et, pendant ce temps, nos tentatives pour déloger les miliciens ne donnaient aucun résultat. Marie et Mado allèrent jusqu'au siège du Conseil militaire des milices chrétiennes, où elles furent reçues grâce à l'intercession d'un des fils Kheir, qui était proche des Gemayel. On les écouta avec déférence. L'homme qui les y rencontra se scandalisa de ce qu'il entendit, prit à témoin les gars qui l'entouraient et qui assistaient debout à l'entretien, alors que moi j'attendais dehors, curieux de ce que je voyais et de ce lieu sous lequel on racontait que croupissaient des prisonniers dans de sinistres geôles. De jeunes guerriers oisifs, en chemise de corps et qui paraissaient au courant de nos ennuis, me demandèrent si nous avions bien affaire à Salloum dit le Vicieux. J'opinai et je les vis alors échanger une moue qui semblait signifier que nous n'étions pas au bout de nos peines. Mes patronnes sortirent pourtant avec des promesses, qui ne furent jamais tenues. Au contraire, le domaine recommença bientôt à être envahi. Les miliciens reprirent leurs aises de tous côtés, ils accrochèrent même non loin de mon perron, entre les grenadiers, un hamac que Karine leur fit décrocher, d'une remarque sèche et déterminée. Ils obtempérèrent, affectant l'intention préalable de démonter ça de toute façon, alors qu'en fait ils ne savaient comment réagir face à ma jeune patronne. Mais l'influence sur eux de Salloum prenait le plus souvent le dessus. Lui-même un jour interpella Jamilé assez grossièrement. Elle s'emporta, lui cria des vérités difficiles à entendre, mais il ricana et il fallut que j'intervienne et que ses propres compagnons s'interposent pour que cela ne tourne pas à l'aigre, qu'une gifle ne vole pas, après quoi Jamilé ne cessa de maugréer, jurant qu'elle irait tuer ce mufle, me regardant comme si elle me reprochait de ne pas proposer de le faire moi-même. Je n'osai pas lui raconter que Salloum était venu s'asseoir à mes côtés une semaine plus tôt, sur le perron, et m'avait demandé si cette cuisinière qui travaillait pour nous était bien. J'avais mis un temps à comprendre de qui il voulait parler et lui avais répondu d'un air distant qu'elle s'appelait Jamilé et que ce n'était pas une cuisinière, mais qu'elle faisait partie de la famille. Il avait eu son exécrable sourire narquois, puis avait dit qu'il allait lui commander de faire la cuisine à ses hommes. « Ce serait bien, avait-il ajouté, qu'on ait quelque chose de chaud à manger, surtout que vous coupez les arbres pour nous empêcher de cueillir les fruits (j'avais en effet entrepris de mon propre chef de cueillir les nèfles qui commençaient à mûrir, pour éviter qu'elles ne soient pillées), alors que nous nous battons et que nous mourons pour vous. »

Je ne rapportai pas ces propos à Jamilé, je ne les rapportai à personne. Nous avions assez d'ennuis, la vie devenait franchement pénible, et nous ne savions pas qu'à Mascate Hareth entreprenait les formalités pour vendre ses bateaux. Il encaissa l'argent et voulut prendre l'avion. Il tenta d'envoyer des télégrammes pour nous en avertir, mais nous ne les reçûmes jamais. Il eut ensuite du mal à quitter le sultanat d'Oman. Toutes les personnes qui avaient été en contact avec le descendant des anciens souverains des îles du Verseau ou qui avaient tenté avec lui de s'emparer de l'archipel étaient recherchées. Quelqu'un le dénonça et il dut embarquer précipitamment sur un des boutres qu'il venait de vendre. Il voulut payer son passage vers Aden, mais le capitaine éclata de rire : « Mais voyons, Hareth bey, ce boutre est un peu à vous, tout de même ! » Lorsqu'ils furent en mer, Hareth fit ses calculs, chercha à estimer les ennuis qu'il pouvait avoir à Aden, puis il demanda à son capitaine s'il ne le conduirait pas plutôt directement à Beyrouth. Le capitaine rit à nouveau, et déclara que cela serait une joie, qu'il avait envie de voir Beyrouth une fois dans sa vie, et surtout qu'il se ferait un plaisir d'emprunter le canal de Suez, et c'est ainsi qu'ils remontèrent la mer Rouge vers l'Égypte et le Liban. À ce même moment, chez nous, les choses empiraient encore, le voisinage des miliciens devenait un vrai supplice. Désœuvrés, ils riaient à tue-tête, faisaient de la moto en déchaînant un vacarme d'enfer et s'amusaient parfois à tirer au revolver sur des cibles qu'il leur arrivait de rater sans se soucier de savoir si nous pouvions être touchés ou pas. Et puis, une nuit, des hurlements insensés parvinrent de l'usine. Au matin, je m'interrogeai avec Jamilé, et il nous parut évident que l'on torturait quelqu'un dans les bâtiments. J'avais beau me cacher la tête sous les oreillers, j'entendais toujours les cris. Karine interpella les hommes qui allaient et venaient nonchalamment sous nos yeux, mais ils haussèrent les épaules. Finalement, nous allâmes ensemble jusqu'au seuil de la fabrique. Karine exigea que Salloum vînt lui parler, elle lui demanda des explications, mais il dit qu'ils n'entendaient rien, lui et ses compagnons, ce qui était un mensonge effronté. Au retour, marchant à ses côtés, je remarquai les traits tirés de ma jeune patronne, que marquaient les épreuves et les soucis. Elle était profondément épuisée, elle avait les sourcils en permanence froncés, ce qui coupait l'éclat de ses yeux, de moins en moins rieurs. Pensait-elle encore à son frère, espérait-elle vraiment son aide, je ne sais, mais elle ne pouvait imaginer que Hareth à ce moment, dans son boutre, venait de traverser le canal de Suez, de dépasser les côtes du Sinaï et qu'il était à moins de cent kilomètres de nos rivages, en permanence collé au bastingage, impatient de voir apparaître la côte et les montagnes à l'horizon, frémissant de joie et de peur à l'idée de ce qu'il allait trouver en arrivant. Pendant ce temps, nos voisins dans l'usine semblaient s'amuser au brigandage et aux saisies de tous ordres, et, si nous ne sûmes jamais qui ils avaient amené et ainsi fait hurler entre les murs de la fabrique, il ne fut pas difficile de deviner qu'ils mirent un jour la main sur un gros camion transportant des moutons. J'ignore le sort qu'ils réservèrent à son chauffeur, s'ils le battirent et le chassèrent ou s'ils le tuèrent, mais ils fêtèrent assez bruyamment la prise de cette cargaison. Ils utilisèrent le véhicule pour réaliser des cascades dans la rue, et firent des orgies avec les moutons, forçant pour la première fois les portes de la brasserie pour y enfermer une part du bétail, laissant le reste en liberté, si bien que les bêtes elles aussi circulaient sous notre nez tandis que les hommes, la nuit, faisaient des barbecues sur de grands feux et que l'odeur de l'agneau grillé arrivait jusqu'à nous et nous étouffait. Au matin, il régnait une atmosphère visqueuse, je perdis l'appétit, et pour la première fois je me demandais par-devers moi si nous ne devions pas partir d'ici lorsque l'inimaginable se produisit. Une automobile, que je compris très vite être un taxi, entra sur le domaine, fit crisser le gravier et vint doucement se ranger devant mon perron, comme aucune voiture ne l'avait plus fait depuis des mois. Mon cœur se mit à battre si fort que je l'entendis dans mes oreilles, j'avais du mal à respirer et je ne pus rien exprimer tant j'étais tétanisé devant le spectacle de la portière qui s'ouvrait. Puis, comme dans un rêve ou dans la réalisation de mes plus belles fantaisies et de mes fantasmes les plus improbables, je vis Hareth mettre pied à terre.

19

Il raconta plus tard comment, en montant les marches du perron, en m'apercevant, vieilli certes mais pas tant que ça, en retrouvant son univers familier sans y déceler encore les innombrables marques de décrépitude et de ruine, quelque chose du tréfonds de son être se mit lentement à remonter. Il fut pris de hoquets et éclata en sanglots. Jamilé était accourue au bruit de la voiture qui redémarrait et à ses cris d'allégresse les femmes apparurent l'une après l'autre. Sa mère, qui voulait faire barrage à une joie qui l'aurait suffoquée, le prit dans ses bras en silence, puis ce fut le tour de sa tante. Quant à Karine, elle l'enlaça en lui déclarant simplement : « Il était temps », comme si elle lui assignait déjà, d'emblée et en notre nom à tous, la lourde tâche pour laquelle nous l'attendions, et qui était de nous sauver de ce cauchemar. Durant les deux jours qui suivirent, il nous écouta avidement, passant en revue le monde qu'il avait quitté, qui était exactement le même mais complètement différent, qu'il avait laissé heureux et qu'il retrouvait ravagé par le temps, les conflits et la guerre. Puis, après avoir tout écouté et tout entendu, après avoir ri et être demeuré, aussi, longuement silencieux et pensif sous nos regards avides, il décida d'aller rencontrer Salloum. Tout cependant était nouveau pour lui, l'ambiance, les miliciens, la ligne de front, qu'il observa avec une curiosité incrédule depuis le toit de la villa, mais aussi notre langage, nos mots, nos façons de concevoir les choses, l'espace et son découpage, et qui n'avaient plus rien de commun avec ce qu'il avait connu. Je lui conseillai, comme le firent sa mère et sa sœur, de remettre à plus tard le face-à-face avec ce type, de se familiariser d'abord avec le monde inconnu qu'il devrait affronter, mais il répondit que cela ne le changeait pas beaucoup de tout ce qu'il avait vu au cours de ses pérégrinations. Il m'emmena avec lui. Je l'accompagnai avec fierté, mais aussi avec une peur inexprimable. J'avais beau le voir grandi et sûr de lui, ridé par le soleil, la mer et les efforts, le regard sombre et puissant, il restait pour moi le jeune homme à la moto, le chevalier qui enviait les prouesses des héros de ses livres. Or il n'allait pas affronter des héros dans des livres, il allait s'expliquer avec des chefs de guerre et de milice, et je ne pouvais imaginer qu'il y parviendrait, parce que je ne savais rien encore de tout ce qu'il allait me raconter, je ne savais pas qu'il avait fréquenté des guerriers, des pirates, des trafiquants, des cavaliers dans la steppe, qu'il s'était enrichi et qu'il avait même eu des bateaux à lui sur lesquels il était arrivé jusqu'à nous.

Salloum non plus ne le savait pas, il ne savait rien, même s'il avait appris que les Hayek avaient un fils absent depuis des lustres. Aussi, pour lui, la rencontre n'était en rien exceptionnelle. Elle le fut en revanche pour Hareth, qui redécouvrit l'usine pour la prospérité de laquelle il était parti et qui était devenue depuis cette caserne qu'il avait sous les yeux, avec à ses côtés une autre bâtisse qui lui était étrangère, et un silo absurde, le tout abandonné, et environné, comme en un spectacle de fin du monde, d'insolites moutons broutant dans l'indifférence à tout. À l'intérieur de l'ancienne fabrique, le vide immense et sinistre le saisit. À la place des imposantes machines il vit les lits en fer, les caisses de munitions et les tables des comptables de naguère couvertes d'objets de toutes sortes, de cartouchières et d'armes à feu. Et puis il vit Salloum. J'assistai à cette rencontre, je la redoutais et je n'avais pas tort. Le milicien, assis dans un vieux fauteuil, ne se leva pas. Il observa Hareth qui, sans se démonter, approcha un siège, une sorte de chaise de bureau rotative mais qui ne tournait plus, s'assit et expliqua les raisons de sa venue, c'est-à-dire toujours la même sempiternelle question de l'envahissement par les milices du territoire autour de la maison. « Je suis de retour, dit-il, et je souhaite remettre un peu d'ordre chez moi. » Salloum sourit de son air narquois et vicieux, et demanda s'il ne valait pas mieux qu'il s'en aille d'ici, plutôt. Hareth répondit : « Sûrement pas. » « Tu veux jouer les héros, lui dit dédaigneusement Salloum. Tu as passé ta vie en voyage alors que nous nous battions pour défendre les tiens et tes biens, et maintenant tu reviens, tu veux t'offrir une jolie maison et nous écarter de ton chemin, c'est ça ? » Je commençai à craindre le pire, je ne savais si Hareth mesurait l'immense danger où il se trouvait, il était si neuf dans tout ça. Mais mon jeune patron, qui n'était plus si jeune que ça, déclara sans se démonter : « Je n'écarte personne. Mais que chacun se tienne à la place qu'il s'est choisie. » Cette étrange réponse dut mettre un petit moment à faire son chemin dans l'esprit mauvais du chef de guerre, dont je me dis qu'il était, lui, en revanche, assez jeune, et en tout cas bien plus jeune que mon patron. Finalement, il trouva une réplique : « Nous, nous n'avons pas choisi, dit-il. Nous avons pris les armes pour défendre nos régions, alors que toi tu t'es enfui. » Il se tut un instant, puis il demanda à Hareth si au moins il savait se servir d'une arme. J'avais de sérieuses frayeurs, je voulais que Hareth me regarde et voie mes signes, les messages que je souhaitais qu'il remarque, pour qu'il n'aille pas plus loin dans la provocation. Mais l'héritier des Hayek ne me regardait pas, il ricanait déjà et disait : « Je crois que j'ai dû apprendre alors que tu étais dans tes couches. » À cette réponse, je souris bêtement au chef de guerre, pour lui faire comprendre que c'était pure rhétorique, bien sûr, et que mon patron plaisantait. Salloum m'intima violemment l'ordre de reculer, puis, comme dans un mauvais film, de ceux que nous regardions, Jamilé et moi, à la télévision, il tira un revolver de son étui, qui pendait au bras de son fauteuil, et, sans se lever, visa un pot de fleurs vide au fond de l'usine, fit feu, le réduisit en morceaux, et cela causa un fracas épouvantable que les murs renvoyèrent en un long et pénible grognement. À ma stupéfaction, comme dans ces mêmes mauvais films dont nous riions mais qui nous tenaient en haleine ou comme dans un cauchemar dans lequel j'avais les jambes qui tremblaient, je vis Hareth prendre le revolver, viser et faire sauter un autre pot, et dans le terrible bourdonnement de l'écho à travers les bâtiments vides de l'usine et de ses plafonds hauts je compris qu'il n'était plus le garçon que je connaissais. Je ne savais plus qui il était, et pourtant ce personnage soudain me rasséréna au-delà de toute mesure. J'ignorais encore tout ce qu'il avait fait pendant ces dix ans, les lettres qu'il nous envoyait étaient totalement édulcorées, mais j'imaginai à cet instant pour me tranquilliser qu'il s'était battu, qu'il avait guerroyé, tué, et je fus gagné par une joie inexplicable et inquiète, parce que je voyais la possibilité que nous sortions vivants de cette entrevue. Je mis fièrement, aveuglément, mon existence entre les mains de mon nouveau et incompréhensible patron, à charge pour lui de m'expliquer ensuite comment et pourquoi il tirait si juste. Entre-temps, Salloum avait retrouvé un semblant de bonne humeur, il avait découvert qu'il allait pouvoir s'amuser. Il se leva, dit que le revolver, c'était trop facile, et demanda à Hareth s'il savait tirer à la kalachnikov. Je n'en aurais pas mené large alors si je n'avais vu l'air enjoué de Hareth que je suivis dehors, au milieu des miliciens regroupés maintenant devant l'usine, en essayant toutefois de le faire réfléchir et renoncer. Salloum tira sur des piles de pièces de bois et les mit en charpie, puis il céda le fusil à Hareth qui, à mon incommensurable ébahissement, fit de même, et tandis que je courais sur son ordre vers la villa pour rassurer les femmes sur les raisons de ces coups de feu je me demandais comment cela allait finir, et si même on en finirait un jour. Lorsque je fus de retour devant la fabrique, hors d'haleine, accompagné de Karine qui voulait faire revenir son frère à la maison, nous ne trouvâmes pas les miliciens, ni leur chef, ni Hareth. Des hommes en faction nous sommèrent de retourner à la villa. Nous voulûmes comprendre, attendre, mais ils nous en empêchèrent, nous annonçant que les paris avaient été ouverts et que le défi se poursuivait.

Nous rentrâmes, et l'attente fut un calvaire. Nous ne pouvions admettre qu'après un si intense bonheur nous dussions subir la plus affreuse des épreuves, et que Hareth fût juste revenu pour mourir. Nous apprîmes plus tard que Salloum l'avait défié à moto, parce qu'il savait que Hareth en avait une, il avait vu la vieille guimbarde dans le garage. Il fit des figures sur la sienne, l'énorme cylindrée qui avait été celle de Awad, et Hareth osa des prouesses plus audacieuses. Nous entendîmes les rugissements du moteur au loin, dans le quartier à moitié désert, sans comprendre ce qu'ils signifiaient et sans nous douter que, au terme de cette épreuve, Hareth exigea de savoir à propos de quoi on se lançait ces défis. Salloum répondit que l'enjeu était clair, l'usine contre la villa, et il éclata de rire. Hareth voulut interrompre cette farce, il rétorqua qu'il n'était venu que pour s'entendre sur une délimitation des territoires, mais l'autre, grisé par le jeu, ou sous l'emprise des stupéfiants qui lui permettaient d'être si sûr de lui, devint menaçant. Hareth comprit qu'il devait poursuivre, quitte à trouver un moyen de se dédire dans le cas où il aurait le dessous, ce que ferait l'autre de toute façon, même s'il ne cessait de prendre ses guerriers à témoin de tout, et même si les miliciens, joyeux, approuvaient en riant. L'épreuve suivante, née dans l'esprit tordu et embrumé de Salloum, combinait les deux paris précédents. On était à la mi-journée, le front et sa ligne étaient à deux pas, on avait fait vrombir la moto presque à leur lisière et, cette fois, le chef de guerre se fit ouvrir un passage entre les barricades et se jeta dans la course, fonçant sur son engin au milieu de la rue centrale de Hayy el-Bir, celle qui séparait les belligérants depuis cinq ans, bordée d'immeubles en ruine, de magasins éventrés et de ruelles partant vers le quartier chiite et elles-mêmes barricadées. Il en parcourut plus de deux cents mètres dans un vacarme d'enfer produit non seulement par la moto mais aussi par sa kalachnikov qu'il tenait d'une main et avec laquelle il tirait en continu contre les façades du côté ouest, pour se protéger, comme dans un rodéo suicidaire. Puis il revint se mettre à l'abri un peu plus loin, sous les ovations de ses hommes, avant même que les gens d'en face n'aient pu réagir. Pendant une quinzaine de minutes ensuite ils mitraillèrent Ayn Chir, envoyant même un obus de mortier, des choses que nous entendîmes aussi, dans la villa où jamais nous ne nous étions morfondus ainsi, incapables d'imaginer ce qui se passait, ni de penser que Hareth pût faire la même chose que le cinglé qui le défiait. Il ne mesurait pas exactement l'ampleur et la violence du spectacle de cette ligne de front. L'autre était drogué, lui pas, et, s'il avait su à quoi cette rue ressemblait, sans doute se serait-il abstenu. Il aurait renoncé, il aurait donné de l'argent à Salloum comme il pensait le faire depuis le début, et qu'on n'en parlât plus. Mais il ne se rendait pas compte du danger immense, bien qu'il ait compris que les gens d'en face étaient maintenant sur leurs gardes, ce sur quoi Salloum comptait, se montrant ainsi déloyal. Hareth releva donc le défi, même s'il m'avoua plus tard qu'il ne distingua que des bribes de la rue frontalière, des murs criblés de balles, des devantures arrachées et qu'il n'entendit pas les tirs des autres qui avaient repris. Il fonça en guidant l'énorme moto d'une main et en essayant de compenser le déséquilibre causé par les ruades de la kalachnikov contre son épaule. Il sentait qu'il allait chavirer et se retrouver au sol, en mille morceaux, mais il résista en se disant qu'il était un cavalier de l'enfer, un cavalier de l'enfer, un cavalier de l'enfer, et cela le fit tenir jusqu'au point de sortie où une ovation le reçut lui aussi, accompagnée du rire sarcastique et déboussolé de Salloum. Dans le vacarme des mitrailleuses qui continuait depuis l'autre côté, les combattants furent d'accord pour déclarer les deux concurrents ex aequo. On revint en Jeep vers l'usine, Hareth s'apprêta à payer sa délivrance, on s'assit dans le bâtiment vide pour boire un coup, les hommes se passèrent un joint, et c'est à ce moment que Salloum eut l'idée ultime, la terrible et diabolique idée, et qu'il proposa le défi dramatique sous les vivats de ses compagnons. Couvé par le regard de tous ces guerriers qui avaient fini par l'admirer, Hareth n'osa pas refuser, mais presque immédiatement il manqua défaillir. Puis il se reprit. Salloum, comme par grandeur d'âme et dans un geste de générosité, lui permit de commencer. Lorsque Hareth évoqua devant moi ces quelques secondes, il me dit qu'il avait senti ses jambes se liquéfier. Il appuya la bouche du revolver sur sa tempe, en fit tourner le barillet, hésita, ferma les yeux puis les rouvrit après le déclic, et il tremblait tellement, me dit-il bien plus tard, quand il parvint à en rire, qu'il aurait presque pu se rater. Salloum se moqua de lui, le traita de « femme », et ce fut le dernier mot qu'il prononça, un mot que Hareth trouva d'une violence extrême, parce que cet homme n'avait pas compris que c'étaient des femmes qui lui avaient tenu tête, à lui et à ses guerriers, qui avaient tenu tête à tout pendant des années, et que c'était un hommage que de se faire traiter de « femme ». Il ne l'avait pas compris et n'eut jamais l'occasion de le comprendre. Je ne suis pas près d'oublier cet instant où Hareth revint de l'usine, après l'ultime pari et le coup de feu fatal. Nous n'avions rien entendu, heureusement, je le vis arriver, je voulus alerter la maison, mais il me fit signe de loin, je m'approchai, il enleva sa chemise tachée d'un sang qui n'était pas le sien et me la donna en me soufflant : « Brûle-la. » Il avait l'air épuisé, il rentra dans la villa, embrassa sa mère, sa tante, sa sœur et Jamilé, puis disparut dans sa chambre. Il dormit toute la nuit, la journée suivante puis encore une nuit. Enfin, au matin du troisième jour, il se réveilla, sortit, déjeuna avec les femmes en bavardant, puis il me rejoignit sur la galerie en haut du perron, se tint près de moi debout, silencieux, observant le jardin, le portail, le verger, les pins et les eucalyptus. Je savais ce qu'il voyait, il voyait ce qui avait disparu mais dont il rêvait absurdement le retour, sans se rendre compte que rien jamais ne serait plus comme avant, il voyait les marchands de quatre-saisons, les quincailliers ambulants, la bicyclette du poissonnier, la rue passante, les livreurs, le facteur, les ouvriers de l'usine et les bonnes courant vers le portail. Et, dans le formidable mais déraisonnable espoir que tout cela recommencerait, il ramena son regard vers les choses qu'il avait sous les yeux et qui portaient les traces de l'usure et du passage du temps, et me demanda : « Bon, alors, par quoi commence-t-on ? »

RÉALISATION : NORD COMPO À VILLENEUVE-D'ASCQ
IMPRESSION : CPI FRANCE
DÉPÔT LÉGAL : AOÛT 2016. N° 132807 (3017338)
IMPRIMÉ EN FRANCE